미래의 글로벌 리더들이 꼭 읽어야 할 인문고전을 만화로 만나다

NEW

58

원효 대승기신론소

서기남 글 · 박수로 그림

주니어김영사

<서울대 선정 인문고전>이 국민 만화책이 되기를 바라며

제가 대여섯 살 때 동네 골목 어귀에 어린이들에게 만화책을 빌려주는 좌판 만화 대여소가 있었습니다. 땅바닥에 두터운 검정 비닐을 깔고 그 위에 아이들이 좋아하는 만화책을 늘어놓았는데, 1원을 내면 낡은 만화책 한 권을 빌릴 수 있었지요. 저는 그곳에서 만화책을 보면서 한글을 깨쳤고 책과의 인연을 맺었습니다.

초등학교 때는 용돈을 아껴서 책을 사서 읽었고, 중학교 때는 학교 도서 반장을 맡아 도서관에서 매일 밤 10시까지 있으면서 참 많은 책을 읽었습니다. 그 무렵 헤밍웨이의《노인과 바다》를 손에 땀을 쥐며 읽으면서 인생에 대해 고민했고, 헤르만 헤세의《수레바퀴 아래서》를 읽으며 사춘기의 심란한 마음을 달랬습니다. 김내성의《청춘 극장》을 밤새워 읽는 바람에 다음 날 치르는 중간고사를 망치기도 했습니다.

당시 저의 꿈은 아주 큰 도서관을 운영하는 사람이 되어 온종일 책을 보면서 책을 쓰는 작가가 되는 것이었습니다. 나이가 들고 어느 정도 바라는 꿈을 이루었습니다. 큰 도서관은 아니지만 적당한 크기의 서점을 운영하고, 글을 쓰는 작가가 되었거든요. 저는 여기에 새로운 꿈을 하나 더 보탰습니다. 그것은 즐거운 마음과 힘찬 꿈을 가지게 해 주고, 나아가 자기 성찰을 도와주는 좋은 만화책을 만드는 일이었습니다. 이렇게 해서 만든 책이 바로〈서울대 선정 인문고전〉입니다. 서울대학교 교수님들이 신입생과 청소년들이 꼭 읽어야 할 책으로 추천한 도서들 중에서 따로 50권을 골라 만화로 만든 것입니다. 인류 지성사의 금자탑이라고 할 수 있는 고전을 보기 편하고 이해하기 쉽도록 만화책으로 만드는 일은 쉬운 일은 아니었습니다. 수십 명의 학교 선생님들과 전공 학자들이 원서의 내용을 정확하게 전달할 수 있도록 밑글을 쓰고, 수십 명의 만화가들이 고민에 고민을 거듭하면서 만화를 그렸습니다.

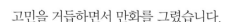

〈서울대 선정 인문고전〉이 출간되고 얼마 안 있을 무렵에 우리나라에 인문학 읽기 열풍이 불기 시작했습니다. 〈서울대 선정 인문고전〉은 인문학 열풍을 널리 퍼뜨리는 데 한몫을 하면서 독자들의 뜨거운 사랑과 관심을 받았습니다. 덕분에 지금까지 수백만 권이 팔리는 베스트셀러가 되었습니다. 그 사랑에 조금이나마 보답하기 위해 《칸트의 실천이성 비판》《미셸 푸코의 지식의 고고학》《이이의 성학집요》 등 우리가 꼭 읽어야 할 동서양의 고전을 계속 만화로 덧붙여 만들어 가고 있습니다.

〈서울대 선정 인문고전〉은 어린이와 청소년은 물론, 부모님이 함께 봐도 좋을 만화책입니다. 국민 배우, 국민 가수가 있듯이 〈서울대 선정 인문고전〉이 '국민 만화책'이 되길 큰 마음으로 바랍니다.

손영운

| 글 작가 머리말 |

본래의 마음을 찾는 세밀한 지도

《대승기신론》은 대승 불교의 핵심적 사상을 요약해 설명하고 있는 대표적인 책입니다. 그러나 막상 읽으려고 하면 책 내용이 쉽게 다가오지 않습니다.

"진여의 본래 성질은 모양이 있는 것도 아니요, 모양이 없는 것도 아니다. 모양이 있지 않은 것도 아니요, 모양이 없지 않은 것도 아니며 모양이 있기도 하고, 없기도 한 것도 아니다. 또한 같은 모양도 아니요, 다른 모양도 아니며 같은 모양이 아닌 것도 아니요, 다른 모양이 아닌 것도 아니며 같고 다른 모양을 함께 갖춘 것도 아니다."

대체 모양이 있다는 것인지, 없다는 것인지 또 같다는 것인지, 다르다는 것인지 도통 이해하기 어렵습니다. 원효가 《대승기신론》을 쉽게 설명하기 위해 쓴 해석본인 《대승기신론소》를 읽고 또 읽어 보아도 이해하기 어려운 것은 마찬가지입니다. 반복해서 읽으며 무슨 말인지 알 듯 하다가 다시 모르는 상태가 계속되면 마음속에서 질문이 새록새록 자라납니다.

정말 내 마음에 부처님이나 예수님과 같은 마음이 있는지?
이 요상한 마음은 어떻게 생겼는지?
정말 내 마음이 모든 것을 지어내는지?
어떻게 해야 본래 마음으로 돌아갈 수 있는지?

《대승기신론》을 읽는 내내, 저는 꼬리에 꼬리를 무는 수많은 질문을 생각하고 또 생각하며 답을 찾았습니다. 《대승기신론》의 대화법이 어렵고 낯설어 도중에 포기하고 싶은 생각을 수도 없이 했지만, 하나씩 배워 알아 가는 과정은 새벽빛에 조금씩 세상이 밝아 오듯 깨달음을 주었습니다. '배우고 때로 익히니 즐겁지 아니한가?'라는 공자의 가르침을 몸으로 깨닫는 것 같아 저절로 탄성이 터져 나올 때도 있었지요.

그렇게 해서 만난 답은 옛 사람의 생각이라고 하기에는 너무나 현대적이었습니다. 오늘날의 심리학처럼 체계적으로 실험을 하는 것도 아니고, 첨단 영상 장치로 뇌를 찍는 것도 아닌데 1,900년 전의 마명 스님과 1,400년 전의 원효 스님은 어떻게 마음이 작동하는 원리를 이렇게 종합적이고도 논리적이며 체계적으로 분석했는지 깜짝 놀라게 됩니다.

《대승기신론》은 이론에 관한 책이 아닙니다. 본래의 마음을 회복하는 방법을 구체적으로 제시하는 매우 세밀한 지도입니다. 또한 어리석은 생각으로 잘못된 말과 행동을 반복하고, 본래 마음을 잃어 고통받고 있는 사람들에게 '본래 마음이란 맑고 깨끗하며 무한한 능력을 가지고 있는 것으로, 누구나 다 가지고 있는 것이다. 이 마음을 잘 써서 자신뿐만 아니라 모두 함께 고통에서 벗어나라.'고 알려 주는 구체적인 처방전입니다. 그래서 《대승기신론》을 '대승(마음)에 관한 믿음을 일으키는 책'이라고 부르는 것이지요.

어린 독자들이 읽기에는 다소 어려운 책이지만, 저는 이 책에 담긴 지혜를 독자들과 나누고 싶습니다. 특히 마음이 아픈 아이들과 왜 살아야 하는지, 어떻게 살아야 하는지 몰라 힘들어하는 아이들에게 부처님의 지혜를 알려 주고 싶습니다. 이 책을 읽고 《대승기신론》을 읽으면 다른 점이 많아 놀랄 수도 있습니다. 아이들이 좀 더 쉽게 이해할 수 있도록 묻고 답하듯 이야기를 풀었고 《대승기신론》에 없는 이야기도 많이 가져왔기 때문입니다. 이 점을 감안해 읽어 주시길 부탁드립니다. 모쪼록 이 책을 통해 우리의 깨끗한 본래 마음을 찾고, 깨달음을 얻길 바랍니다. 그리고 귀한 인연으로 이 책을 쓸 수 있게 도와 주신 모든 분께 감사드립니다.

서기남

마음을 닦아 자신의 진짜 모습을 찾기를

우리나라 사람 중 원효를 모르는 사람이 있을까요? 혹시 원효를 잘 모르더라도 그가 해골에 담겨 있는 물을 먹고서 깨달음을 얻은 일화는 알고 있을 테지요.

우리가 만약 원효와 같은 상황이었다면 그와 같이 깨달음을 얻을 수 있었을까요? 원효처럼은 아니더라도 오랜 세월 수행한다면 깨달음을 통해 삶과 죽음의 고통에서 벗어날 수 있을까요? 저는 이 책에 그림을 그리는 동안만큼은 깨달음의 마음으로 작업하고자 했습니다. 《대승기신론소》를 통해 원효가 말하고자 했던 부처님의 가르침과 우리 마음의 본질에 대해 깨닫고자 했지요. 그러나 결국 깨달은 것은 부처가 되는 길은 멀고도 험하다는 사실이었습니다. 특히 추상적인 대상을 그림으로 나타내는 작업을 할 때는 마음에 고통이 일어나 집중하기 매우 어려웠습니다. 그럼에도 불구하고 그림을 다 그리고 펜을 내려 놓으면서 생각하니 이전과 달리 같은 것을 다르게 보는 마음가짐이 생겼다는 사실을 알게 되었습니다.

사람의 마음은 항상 움직입니다. 이기적으로 행동하고 싶은 순간이 매일 찾아오고, 그와 같은 이기적인 마음을 합리화시키려 애쓰면서 또다시 후회하고 스스로에게 실망합니다. 그러나 또 다음날이 되면 또 똑같이 이기적인 마음을 가지고 살아갑니다. 지금껏 살아 오며 마음의 동요 없이 살고 싶었던 적이 한두 번이 아니었습니다. 그러면서도 이러한 고통에서 벗어나려면 무엇을 해야 하는지 알려고 하지 않았고, 벗어나려고 노력하지 않았습니다.

각박한 이 세상에서 우리가 진정으로 원하는 인생에 대한 정답을 찾을 수 있을까요? 여러분은 어떤 삶이 옳은 삶인지, 또 어떻게 살아야 정말 잘 살았다고 할 수 있는 삶인지 알고 있나요?

저는 작업하는 동안 후회스럽기만 한 옛 생각들과 실수했던 순간들이 주마등처럼 스쳐 가며 어떻게 하면 원효처럼 모든 것을 내려놓고 욕

망을 버린 삶을 살 수 있을지 끊임없이 자문하곤 했습니다. 그 생각 끝에 내린 결론은 바로 포기하지 않고 노력해야 한다는 것이었습니다. 옛 생각과 망념에 사로잡혀 바른 마음에 이르지 못하는 삶에서 벗어나려면, 끊임없이 마음을 닦고 수행해야 하기 때문입니다. 마음을 닦아 자신의 본래 모습을 찾는 것은 종교를 떠나 평온한 마음을 가지고자 하는 사람이라면 어느 누구에게나 필요한 작업이 아닌가 합니다.

오늘날 우리 인간이 사는 곳을 지옥이라고 말하기도 합니다. 뉴스를 보면 정말 사람답지 않은 사람들이 벌이는 끔찍한 사건들이 너무도 많습니다. 《대승기신론소》는 이러한 삶 속에서 괴로워하는 모든 사람들에게 깨달음을 줄 것이라고 생각합니다. 깨닫는 정도는 개인마다 다르겠지만 우리 마음을 돌아보고 우리 삶을 살피기 시작하는 것이 우리가 깨달음의 길에서 한 걸음을 떼는 일이 아닐까 합니다.

더불어 이 책을 읽는 모든 독자 여러분이 각박한 이 세상에서 상처받은 마음을 치유하며 조금은 여유를 가지고 깨달음의 길로 한 발짝 다가서면 좋겠다는 생각을 가져 봅니다.

박수로

| 차례 |

1장 《대승기신론소》는 어떤 책일까?

대승기신론소
대승기신론소? 어떻게 읽어야 하지?
대승기 신론소? 대 승기신 론소? 대승 기신 론소?
뜻을 모르니 어떻게 읽어야 할지 모르겠네.
아하하
자, 제목을 한 글자씩 살펴볼까?
큰 대(大)! 수레 승(乘)! 일어날 기(起)! 믿을 신(信)! 말할 논(論)! 트일 소(疏)!
大乘起信論疏
한자를 풀이하면 '대승기신론'은 '대승에 대한 믿음을 일으키는 책'이란 뜻이야.
오~

그리고 '대승기신론소'는 《대승기신론》의 내용을 속 시원히 트이게 해 주는 책이란 뜻이지.
《대승기신론》을 이해하기 쉽게 설명한 책이야!
따라서 '대승 기신론 소'라고 읽어야 해.
대승 기신론 소
《대승기신론》은 약 1,900년 전에 인도 승려 마명이 썼다고 해.
마명은 *법문을 아주 잘했는데
부처님 가라사대~
얼마나 대단했던지 그의 법문을 듣고 말이 감동해 눈물을 흘리며 울었대.
히히힝~
그래서 '말 마(馬)', '울 명(鳴)' 자를 써 마명이라는 이름으로 불렸지.
부처님이 말씀하시길~.
아 주옥 같은 말씀!
웬 말들이.

* 법문(法門): 중생을 열반에 들게 하는 데 지침이 되는 가르침.

마명이 산스크리트 어로 썼다는 책은 오늘날 전해지지 않아.
게다가 마명에 대해 정확히 알려진 것이 없어서, 《대승기신론》의 저자가 누구인지 확실하지 않다는 견해도 있어.
관세음 보살
현재 《대승기신론》은 중국 양나라 때(6세기) 승려 진제가 쓴 것과 당나라 때 승려 실차난타가 쓴 한역본이 전해지고 있어.
진제
실차난타
1세기경에 인도에서 중국으로 불교가 전래된 후 경전이 한문으로 번역되었거든.
《대승기신론》은 대승 불교의 핵심 사상을 담고 있어.
대승기신론
대승 불교
내용이 매우 간략해 한글 번역본의 경우 보통 50~60쪽밖에 안 돼.

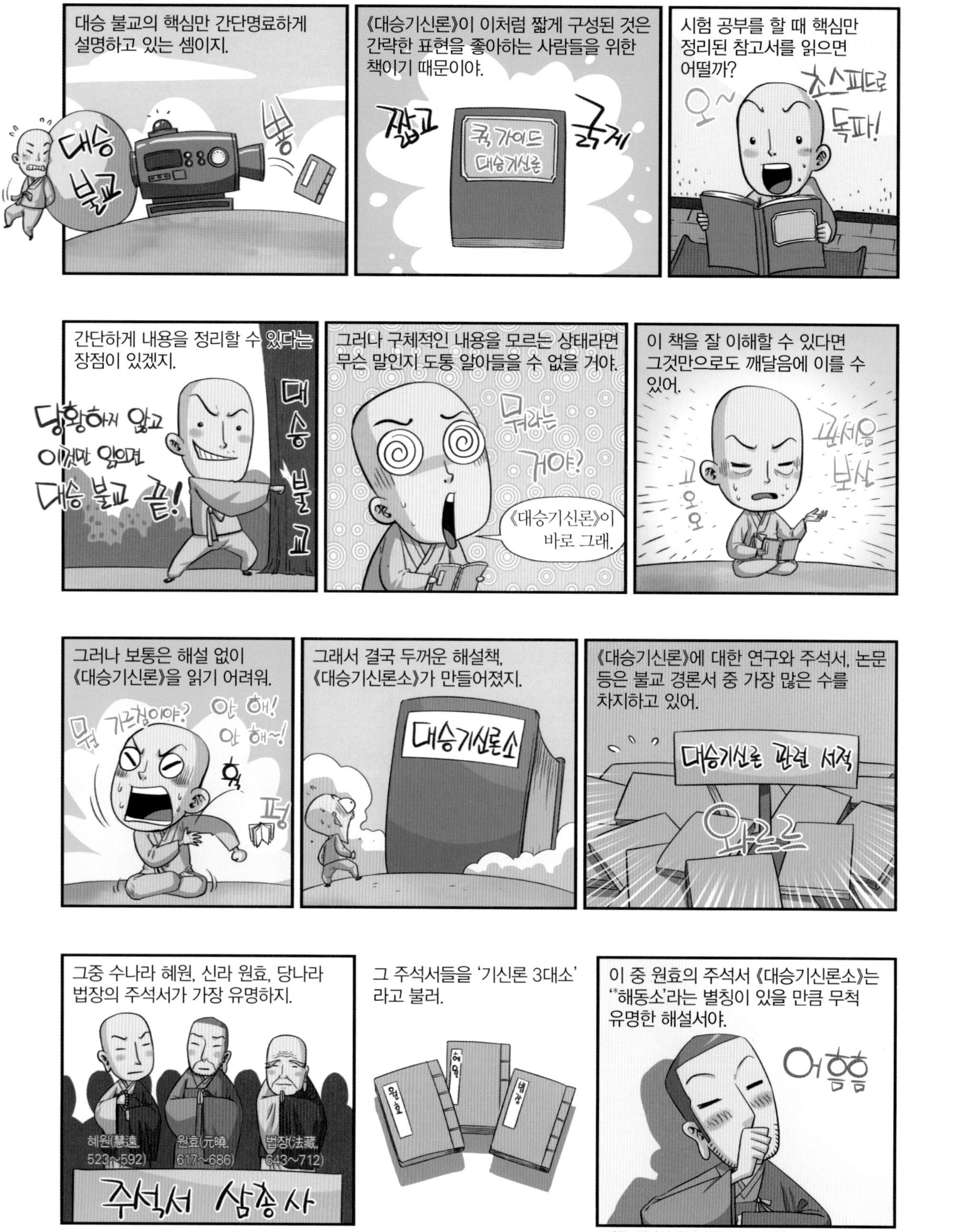
대승 불교의 핵심만 간단명료하게 설명하고 있는 셈이지.
대승 불교
뿅
《대승기신론》이 이처럼 짧게 구성된 것은 간략한 표현을 좋아하는 사람들을 위한 책이기 때문이야.
짧고
퀵 가이드 대승기신론
굵게
시험 공부를 할 때 핵심만 정리된 참고서를 읽으면 어떨까?
오~
초스피드로 독파!
간단하게 내용을 정리할 수 있다는 장점이 있겠지.
당황하지 않고 이것만 읽으면 대승 불교 끝!
대승 불교
그러나 구체적인 내용을 모르는 상태라면 무슨 말인지 도통 알아들을 수 없을 거야.
뭐라는 거야?
《대승기신론》이 바로 그래.
이 책을 잘 이해할 수 있다면 그것만으로도 깨달음에 이를 수 있어.
고오오
관세음 보살
그러나 보통은 해설 없이 《대승기신론》을 읽기 어려워.
뭐 가르침이야?
안 해! 안 해~!
휙
펑
그래서 결국 두꺼운 해설책, 《대승기신론소》가 만들어졌지.
대승기신론소
《대승기신론》에 대한 연구와 주석서, 논문 등은 불교 경론서 중 가장 많은 수를 차지하고 있어.
대승기신론 관련 서적
와르르
그중 수나라 혜원, 신라 원효, 당나라 법장의 주석서가 가장 유명하지.
혜원(慧遠, 523~592)
원효(元曉, 617~686)
법장(法藏, 643~712)
주석서 삼총사
그 주석서들을 '기신론 3대소' 라고 불러.
원효
혜원
법장
이 중 원효의 주석서 《대승기신론소》는 '*해동소'라는 별칭이 있을 만큼 무척 유명한 해설서야.
어흠흠

* 해동: 옛날의 우리나라를 부르던 말.

《대승기신론소》는 《대승기신론》이 나오고 500년 후에 만들어졌어.
대승기신론소
한편 '대승에 대한 믿음을 일으킨다.'라는 말은 무슨 뜻일까?
큰 승리에 대한 믿음?
Korea
'대승'은 큰 수레를 뜻해. 그렇다면 타고 다니는 수레를 믿는다는 것일까?
대승
끄아아아
여기서 말하는 대승은 수레를 뜻하는 말이 아니란다.
노노
우리의 마음을 비유적으로 표현한 말이지.
마음
대
승
지이잉~
따라서 《대승기신론소》는 우리의 마음에 대해 탐구하는 책이라고 할 수 있어.
대승에 대한 믿음을 일으킨다는 것은 우리의 마음을 믿는다는 것이고
땅
이는 우리의 마음이 이미 부처임을 믿고, 마음을 통해 깨달음을 얻어 삶의 고통을 해결한다는 의미야.
승려가 쓰고 해설했는데 그냥 마음에 관한 책이라니 이상하지?
대승기신론소
마명 원작
원효 해설
불교책이 아니고?
이 책은 불교에 관한 책이면서 어떤 의미에서는 심리학책이기도 해.
대승기신론소
오~
팔만대장경을 한마디로 줄이면 무엇일까?
어… 그게 음….

팔만대장경은 고려가 부처님의 힘으로 몽골을 물리치기 위해 만든 경전이야.
와아아
와아아
퍽
세계 기록 유산으로 지정되었지.

고려 사람들은 불경을 인쇄하기 위해 약 80,000장의 목판에 불경을 새겨 넣었어.

* 불경(佛經): 불교의 교리를 밝혀 놓은 책.

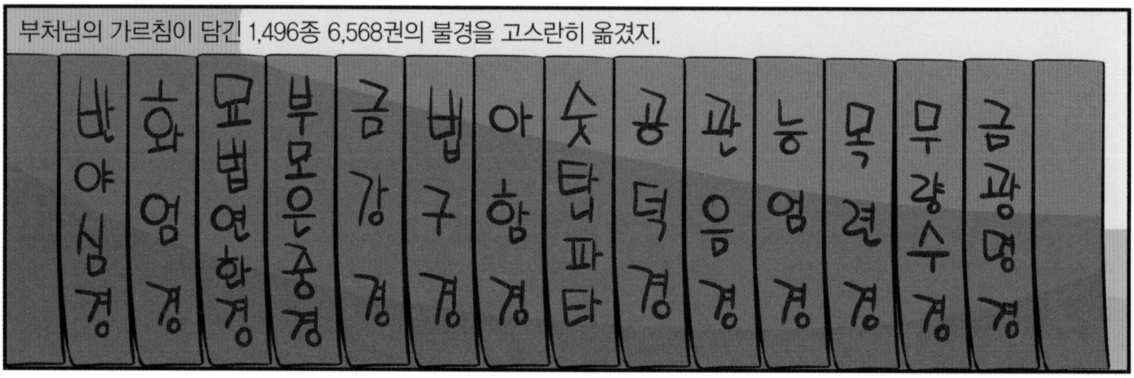
부처님의 가르침이 담긴 1,496종 6,568권의 불경을 고스란히 옮겼지.
반야심경
화엄경
묘법연화경
부모은중경
금강경
법구경
아함경
숫타니파타
공덕경
관음경
능엄경
목련경
무량수경
금광명경

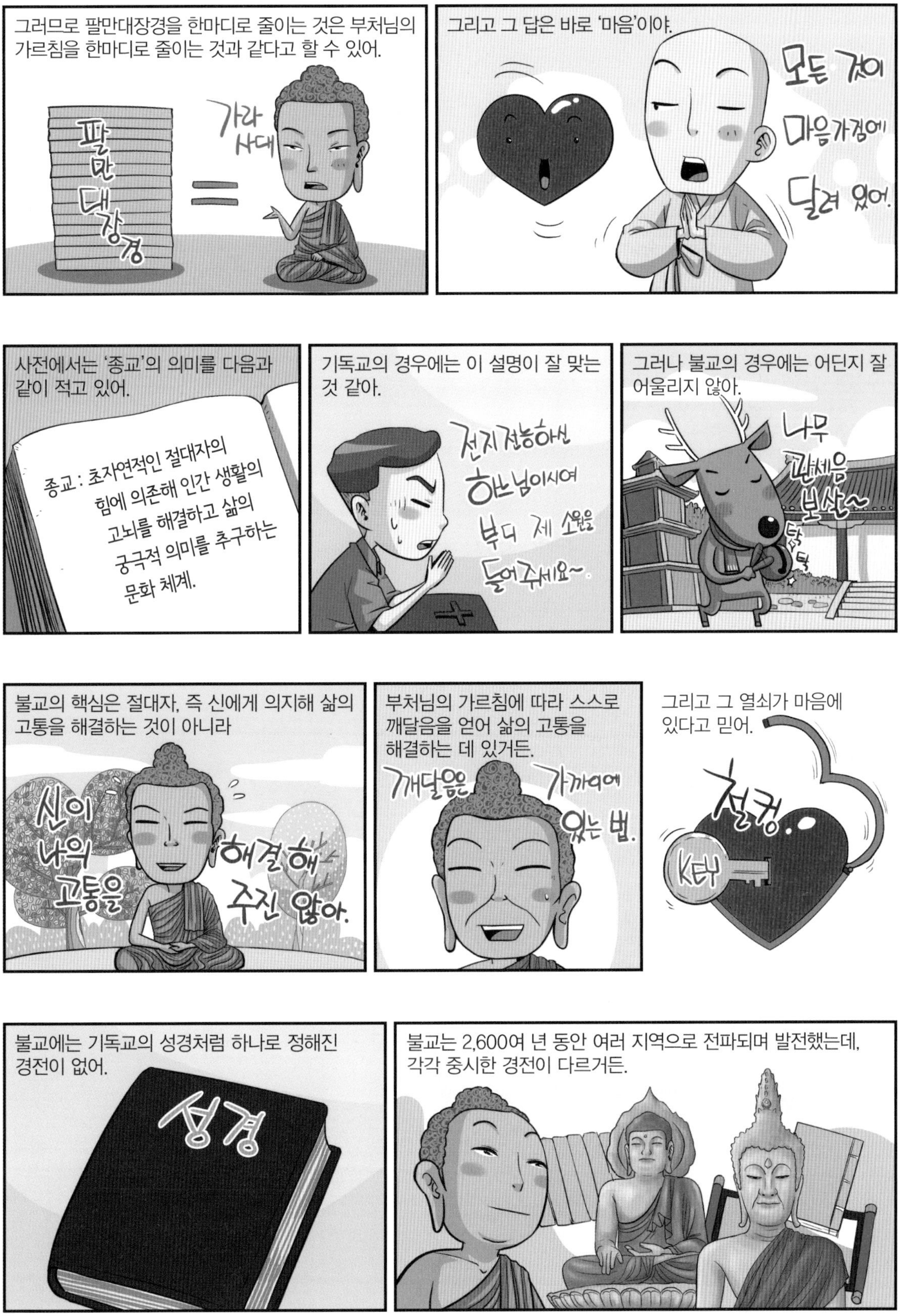
그러므로 팔만대장경을 한마디로 줄이는 것은 부처님의 가르침을 한마디로 줄이는 것과 같다고 할 수 있어.
팔만대장경
가라사대
그리고 그 답은 바로 '마음'이야.
모든 것이 마음가짐에 달려 있어.
사전에서는 '종교'의 의미를 다음과 같이 적고 있어.
종교 : 초자연적인 절대자의 힘에 의존해 인간 생활의 고뇌를 해결하고 삶의 궁극적 의미를 추구하는 문화 체계.
기독교의 경우에는 이 설명이 잘 맞는 것 같아.
전지전능하신 하느님이시여 부디 제 소원을 들어주세요~.
그러나 불교의 경우에는 어딘지 잘 어울리지 않아.
나무 관세음 보살~
딱 딱
불교의 핵심은 절대자, 즉 신에게 의지해 삶의 고통을 해결하는 것이 아니라
신이 나의 고통을 해결해 주진 않아.
부처님의 가르침에 따라 스스로 깨달음을 얻어 삶의 고통을 해결하는 데 있거든.
깨달음은 가까이에 있는 법.
그리고 그 열쇠가 마음에 있다고 믿어.
철컹
KEY
불교에는 기독교의 성경처럼 하나로 정해진 경전이 없어.
성경
불교는 2,600여 년 동안 여러 지역으로 전파되며 발전했는데, 각각 중시한 경전이 다르거든.

일반적으로 불교의 경전은 크게 세 종류로 분류돼.
경(經)과 율(律) 그리고 논(論)이야.
經 律 論
경장은 석가모니의 말씀을 모은 책이고
마하반야 바라밀다심경 관자재 보살 행심반야 바라밀다시…
율장은 불교 교단에서 지켜야 할 계율을 모은 책이야.
율장
그리고 논장은 위대한 스승들이 경장과 율장을 해석한 것을 모은 책이지.
이 세 가지를 합해 '삼장'이라고 해.
삼장! 합체~!
경장
율장
논장
경장은 교과서, 율장은 학교 교칙, 논장은 참고서인 셈이야.
아하!
보통 사람은 수천 권에 이르는 삼장을 그냥 읽는 것도 힘들어해.
우르르
그러니 삼장의 내용을 통달한 사람은 얼마나 대단할까?
이걸 다
대단해!
삼장에 통달한 사람은 '삼장 법사'라고 불리며 칭송을 받아.
오~
삼장 법사 하면 유명한 사람이 한 명 생각날 거야.
에헴
《서유기》에서 손오공, 저팔계, 사오정과 함께 인도로 불경을 가지러 간 승려 말이야.

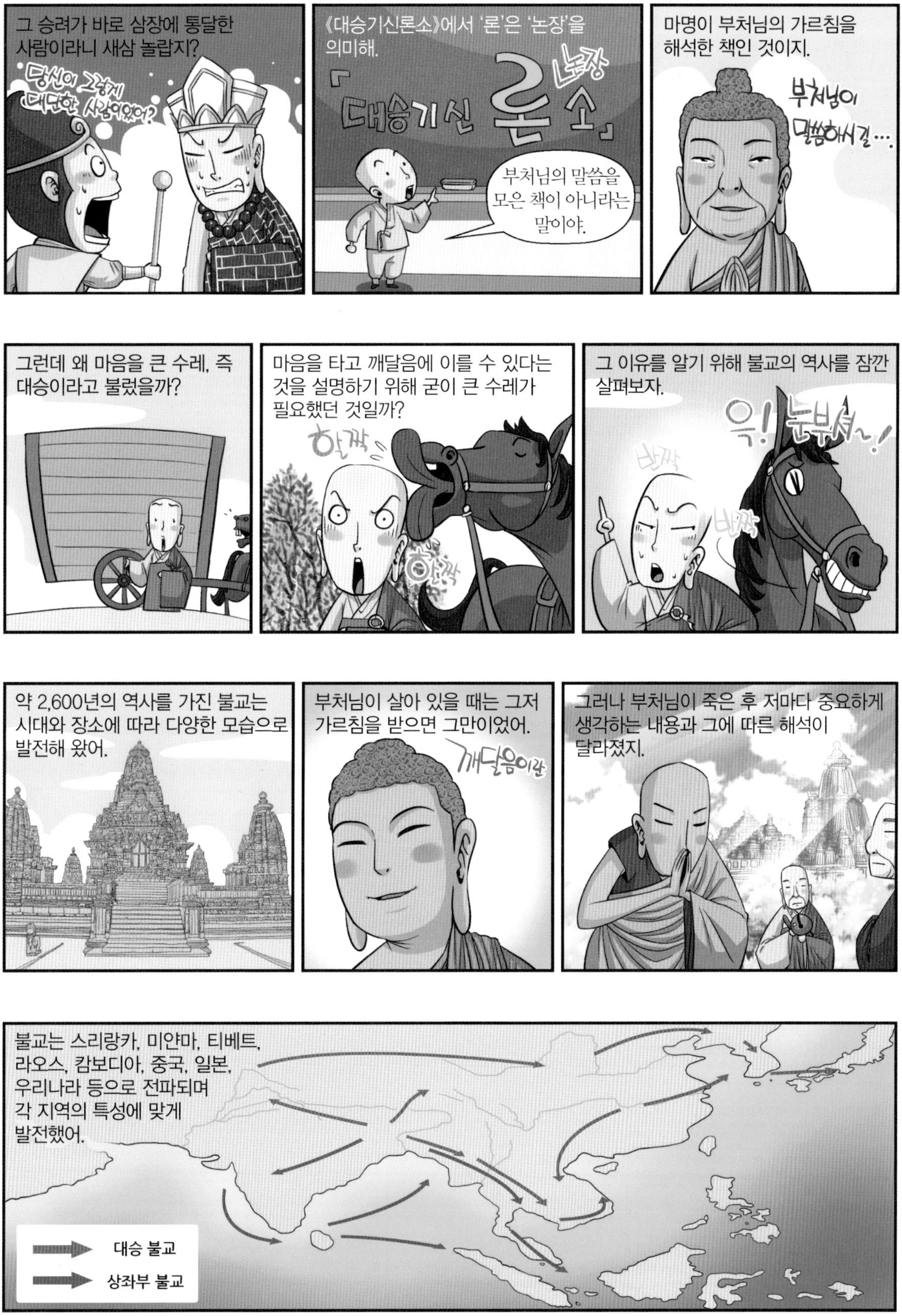
그 승려가 바로 삼장에 통달한 사람이라니 새삼 놀랍지?
당신이 그렇게 대단한 사람이었어?
《대승기신론소》에서 '론'은 '논장'을 의미해.
「대승기신 론 소」
논장
부처님의 말씀을 모은 책이 아니라는 말이야.
마명이 부처님의 가르침을 해석한 책인 것이지.
부처님이 말씀하시길….
그런데 왜 마음을 큰 수레, 즉 대승이라고 불렀을까?
마음을 타고 깨달음에 이를 수 있다는 것을 설명하기 위해 굳이 큰 수레가 필요했던 것일까?
할짝
할짝
그 이유를 알기 위해 불교의 역사를 잠깐 살펴보자.
윽! 눈부셔~!
반짝
반짝
약 2,600년의 역사를 가진 불교는 시대와 장소에 따라 다양한 모습으로 발전해 왔어.
부처님이 살아 있을 때는 그저 가르침을 받으면 그만이었어.
깨달음이란
그러나 부처님이 죽은 후 저마다 중요하게 생각하는 내용과 그에 따른 해석이 달라졌지.
불교는 스리랑카, 미얀마, 티베트, 라오스, 캄보디아, 중국, 일본, 우리나라 등으로 전파되며 각 지역의 특성에 맞게 발전했어.
대승 불교
상좌부 불교

각 나라의 불교는 부처님의 가르침에 따라 깨달음에 이르고자 하는 것은 같았지만 다른 점이 훨씬 더 많았어.
깨달음
시대와 장소에 따라 그 이름도 다양했지.
근본 불교
부파 불교
상좌부 불교
대승 불교
밀교
이후 불교가 크게 발전하면서 부처님의 가르침을 전문적으로 연구하는 승려들이 늘었어. 덕분에 불교는 수준 높은 사상으로 발전할 수 있었지.
뚜벅 뚜벅
불교 사상
반면에 보통 사람들의 삶과는 점점 거리가 멀어졌어.
부처님은 보통 사람들의 삶 속에 함께하며 그들이 깨달음을 통해 고통에서 벗어날 수 있도록 가르쳤어.
깨달음의 길
아하!
그러나 갈수록 불교는 일부 승려들의 전유물마냥 폐쇄적인 종교가 되어 갔지.
관계자 외 출입금지
한편에서 '무엇이 진짜 부처님의 가르침인가'라는 의문을 가지기 시작했어.
그리고 이들에 의해 새로운 불교 운동이 일어났어.
활활
신흥 불교 세력
그들은 모든 사람이 다 부처가 될 수 있다는 성불 사상을 주장했어.
성불 사상 전파
이것이 바로 대승 불교의 핵심이야.
대승 불교
교
성불하세요~.
대승 불교 이전에는 중생이 부처가 될 수 있다는 생각을 하지 않았어.
부처님이 아무나 따를 수 없는 높은 공덕과 어려운 수행으로 깨달음을 얻었다고 생각했기 때문이야.
에이~ 부처는 아무나 되나?

그러나 대승 불교의 주장으로 아무도 접근할 수 없었던 부처의 영역이 모든 중생에게 개방되었어.
성불
어서 오시지요~.
사상
대승 불교는 자신들을 여러 사람이 함께 타는 큰 수레에 비유하며 기존의 불교는 한 사람밖에 타지 못하는 작은 수레라고 했어.
에헴
대승
소승
그러면서 개인이 깨달음에 도달해 고통에서 벗어나는 해탈은 물론, 다른 사람을 도와 깨달음에 이르게 하는 중생 구제도 아주 중요하게 여겼지.
성불
하소서!
깨달음
그러자 기존의 불교는, 자신들이야말로 부처님의 가르침을 제대로 계승하는 근본 불교이며
우리가 '원조' 입니다~.
근본 불교
새로운 불교의 주장은 부처님의 가르침이 아니라고 대승 불교를 비판했어.
대승은 '가짜'
과거에는 특정 지역의 불교를 '소승 불교'라 낮춰 불렀지만 이제는 바로잡아야 해.
그래서 요즘은 중국, 일본, 한국, 베트남 등에 전래된 불교는 대승 불교라고 하고
중국
한국
일본
베트남
스리랑카, 미얀마, 태국, 캄보디아, 라오스 등에 전래된 불교는 소승 불교가 아닌, '남방 불교', '근본 불교' 또는 '상좌부 불교'라고 부른단다.
뭐라고?
근본 불교~!
미얀마
라오스
캄보디아
스리랑카
그럼 《대승기신론》의 내용을 간단히 살펴볼까?
대승기신론

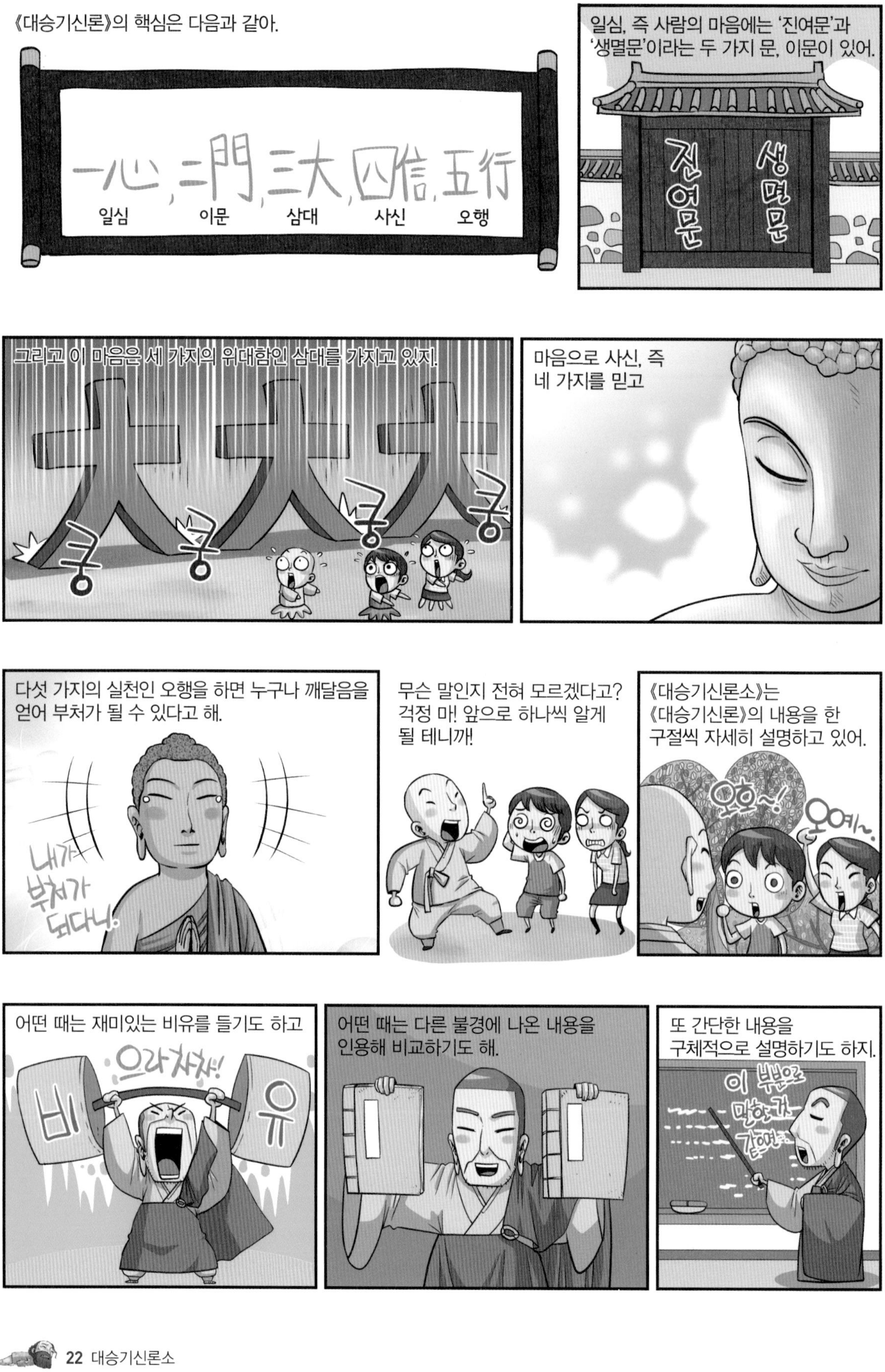
《대승기신론》의 핵심은 다음과 같아.
一心, 二門, 三大, 四信, 五行
일심 이문 삼대 사신 오행
일심, 즉 사람의 마음에는 '진여문'과 '생멸문'이라는 두 가지 문, 이문이 있어.
진여문
그리고 이 마음은 세 가지의 위대함인 삼대를 가지고 있지!
쿵
쿵
쿵
쿵
마음으로 사신, 즉 네 가지를 믿고
다섯 가지의 실천인 오행을 하면 누구나 깨달음을 얻어 부처가 될 수 있다고 해.
내가 부처가 되다니!
무슨 말인지 전혀 모르겠다고? 걱정 마! 앞으로 하나씩 알게 될 테니까!
《대승기신론소》는 《대승기신론》의 내용을 한 구절씩 자세히 설명하고 있어.
오호~!
오예~
어떤 때는 재미있는 비유를 들기도 하고
으라차차!
비
유
어떤 때는 다른 불경에 나온 내용을 인용해 비교하기도 해.
또 간단한 내용을 구체적으로 설명하기도 하지.

만약에 우리가 원효와 같은 시대에 살았다면 좀 더 쉽게 《대승기신론소》를 읽고 《대승기신론》을 이해할 수 있었을 거야.
그러나 1,500년의 차이는 커.
오늘날과 크게 다른 문화 속에서 살았던 원효의 해석이 우리에게는 낯설고 어려울 수 있어.
그렇지 뭐…
상처받으셨나 봐!
그러나 정신을 집중해 《대승기신론소》를 읽으면 우리 마음의 본질이 무엇인지 알 수 있을 거야.
정신집중
우리의 마음이 어떻게 작용하는지,
자고 싶다.
정신집중
마음을 잘못 쓰면 어떤 일이 생기는지,
정신집
쿨쿨
또 잘못 쓴 마음을 어떻게 바꿀 수 있는지,
책 읽어야 돼!
정신집중
벌떡
깨달은 사람과 깨닫지 못한 사람의 마음은 무엇이 다른지,
쿨쿨
깨달음
깨닫지 못함
그리고 어떻게 깨달음에 이를 수 있는지를 알게 될 거야.
역시 책은 어려워~
턱
《대승기신론소》는 불자뿐만 아니라, 인간의 마음과 삶의 고통 그리고 그 고통에서 벗어나는 데 관심이 있는 사람이라면 누구에게나 아주 좋은 안내서이기 때문이지.
대승기신론소

2장

원효는 누구인가?

원효는 밤나무가 많은 동네에서 태어났어.
출산이 얼마 남지 않은 어느 날, 원효의 어머니는 밤나무 아래를 지나가다가 갑자기 진통을 느꼈어.
여보!
아으~
집까지 갈 수도 없는 상황이었지.
헉 헉
원효의 아버지는 입고 있던 털옷을 벗어 나뭇가지에 걸고 아내의 출산을 도왔어.
으~
조금만 더 힘줘!
그때 갑자기 오색구름이 밤나무 골을 덮더니 원효가 태어났지.
응애
응애
지금으로부터 약 1,400년 전인 617년, 경상북도 압량면(지금의 경산)에서 있었던 일이었어.

원효의 본래 성은 설 씨였다고 해.
와! 눈이다~.
원효의 아버지는 걸어 놓은 털옷에서 태어났다고 해서 아기를 서당(새털)이라고 불렀어.
응애
응애
그러니까 원효의 어릴 적 이름은 '설서당'이었지.
헉
퍽
우리가 아는 원효라는 이름은 승려가 된 후에 얻은 이름이야.
나무 관세음 보살~
'첫 새벽'이라는 뜻이지.
꼬끼오~
원효는 그의 이름대로 한국 불교와 한국 철학의 첫 새벽을 열었어.
이리 오너라!
인간은 사회적인 동물이야.
자신이 살고 있는 사회의 영향을 받는 한편, 그 사회에 영향을 주기 때문이지.
따라서 원효가 살았던 시대의 사회상을 알면 원효를 이해하는 데 도움이 될 거야.
먼저 그 시대에 누가 살았는지 알아볼까?
동시대 인물
우리나라 최초의 여왕이자 첨성대를 세운 선덕 여왕이 있어.
또 삼국 통일의 주역인 김유신과 태종 무열왕 김춘추 그리고 죽어서도 바다의 용이 되어 신라를 지키겠다던 문무 대왕이 있지.

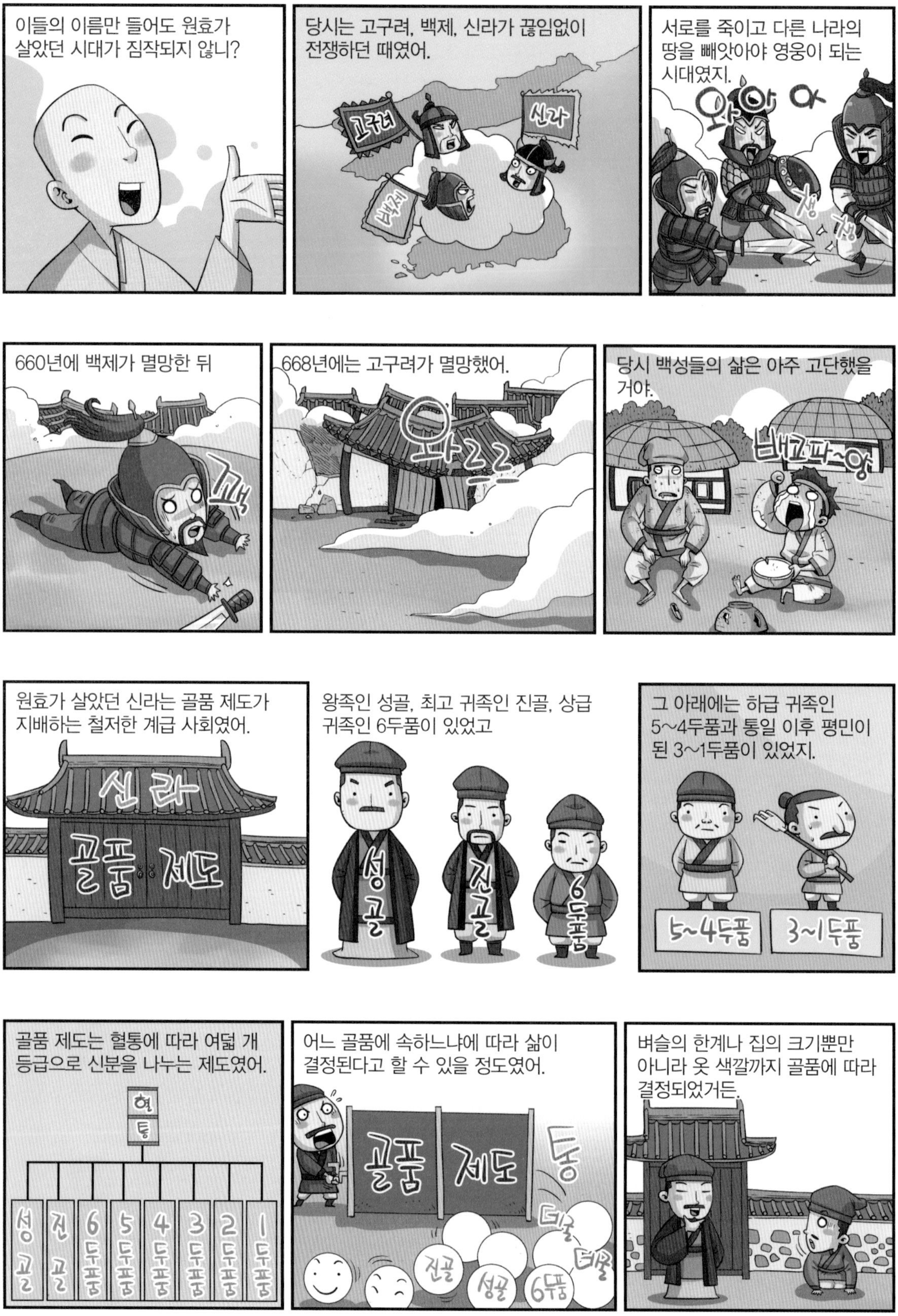
이들의 이름만 들어도 원효가 살았던 시대가 짐작되지 않니?
당시는 고구려, 백제, 신라가 끊임없이 전쟁하던 때였어.
고구려
신라
백제
서로를 죽이고 다른 나라의 땅을 빼앗아야 영웅이 되는 시대였지.
와아아
챙
챙
660년에 백제가 멸망한 뒤
668년에는 고구려가 멸망했어.
와르르
당시 백성들의 삶은 아주 고단했을 거야.
배고파~앙
원효가 살았던 신라는 골품 제도가 지배하는 철저한 계급 사회였어.
신라
골품 제도
왕족인 성골, 최고 귀족인 진골, 상급 귀족인 6두품이 있었고
성골
진골
6두품
그 아래에는 하급 귀족인 5~4두품과 통일 이후 평민이 된 3~1두품이 있었지.
5~4두품
3~1두품
골품 제도는 혈통에 따라 여덟 개 등급으로 신분을 나누는 제도였어.
혈통
성골
진골
6두품
5두품
4두품
3두품
2두품
1두품
어느 골품에 속하느냐에 따라 삶이 결정된다고 할 수 있을 정도였어.
골품 제도
통
진골
성골
6두품
벼슬의 한계나 집의 크기뿐만 아니라 옷 색깔까지 골품에 따라 결정되었거든.

《삼국사기》에 당시 골품 제도의 실상을 잘 보여 주는 글이 나와 있어.
설계두는 신라 귀족의 자손이다.
일찍이 친구 네 사람과 술을 마시며 각기 그 뜻을 말할 때 설계두가 말했다.
신라는 사람을 쓰는 데 골품을 따진다. 아무리 큰 재주와 공이 있어도 골품의 벽을 뛰어넘을 수 없다.
나는 멀리 중국으로 가 능력을 발휘하며 큰 공을 세우고, 높은 관직에 어울리는 칼을 차고서 *천자 곁에 출입하고 싶다.

* 천자(天子): 중국의 황제.

그 후 설계두는 몰래 배를 타고 당나라로 건너갔고 당나라 태종이 고구려를 침략할 때, 자원해 용감히 싸우다 전사했다.
휘이이이~
설계두 같은 뛰어난 인물이 조국을 떠나 자기 민족을 침략하는 전투에 목숨을 바치다니 참 안타까운 일이지? 이처럼 신라의 골품제는 수많은 이들을 절망시킨 신분의 벽이었어.
골품 제도
으아아~

원효는 6두품 귀족이었지만
어린 나이에 승려가 되었어.
이에 관한 이야기는 《삼국유사》,
《송고승전》 등을 바탕으로 추측해
볼 수 있어.
끙끙
원효는 출가 전, 신라의 화랑이었어.
국가를 위해 죽음도
불사르겠습니다!
늘 승리해야 한다는 강박감과 남보다 잘해야 한다는 생각으로 싸웠지.
화랑 돌격~!
전쟁에서 지면 슬퍼하고
분개하며 복수를 다짐했고,
새롭게 도전해 승리하곤 했어.
와아아
어느 날 백제와의 전투에서 전사한 동료 화랑의 무덤 앞에서
복수를 맹세하던 원효는 문득 '전쟁에서 승리한 백제 군사들은
지금 축제를 즐기고 있겠지?'라는 생각이 들었어.
자신이 동료의 죽음 앞에서 피눈물을 흘리고 있을
때 상대편은 축배를 들고 있을 것이라는 생각이
든 거야.
와하하.
그러다 문득 예전에 자신이 전쟁에서 승리해
기뻐하고 있을 때 적군도 복수의 눈물을
흘렸겠다는 생각이 들었어.
흑흑흑
똑같은 일을 두고 한쪽은
통곡하고 다른 한쪽은 축배를
드는 모습에서 원효는 삶의
모순을 보았어.
인간의 삶이 도깨비 장난과 같은
것임을 깨달은 원효는 바로
머리카락을 자르고 출가했어.
사각
사각

젊은 화랑이었던 원효가 인간의 근본적인 문제에 회의를 느낀 뒤 불교를 통해 그 해결책을 찾으려고 승려가 되었다는 거야.
당시는 불교가 공식적으로 인정받고 나라의 통치 사상이 된 지 100년이 지난 때였어.
불교 수용
100주년
수많은 불교 사상과 관련 서적이 신라에 들어와 뿌리를 내리고 있었지.
불교
출가한 뒤 원효는 삶의 진리를 찾아 수많은 경전을 읽고 또 읽으며 열심히 공부했어.
중얼 중얼
당시의 불교는 생겨난 지 이미 1,000년이 훨씬 지난 종교였기 때문에 공부해야 할 내용도 많고, 무척 어려웠어.
원효는 누구의 제자라고 말할 수 있을 만큼 스승을 정해 놓고 배우지는 않았어.
공부를 하다 모르거나 막히는 것이 있으면 낭지나 혜공과 같은 훌륭한 승려들을 찾아가 묻고 배우곤 했지.
타고난 총명함과 불타는 학구열로 원효는 불교의 여러 사상들을 배워 나갔어.
드르렁 드르렁
밤새 공부했더니 그만….

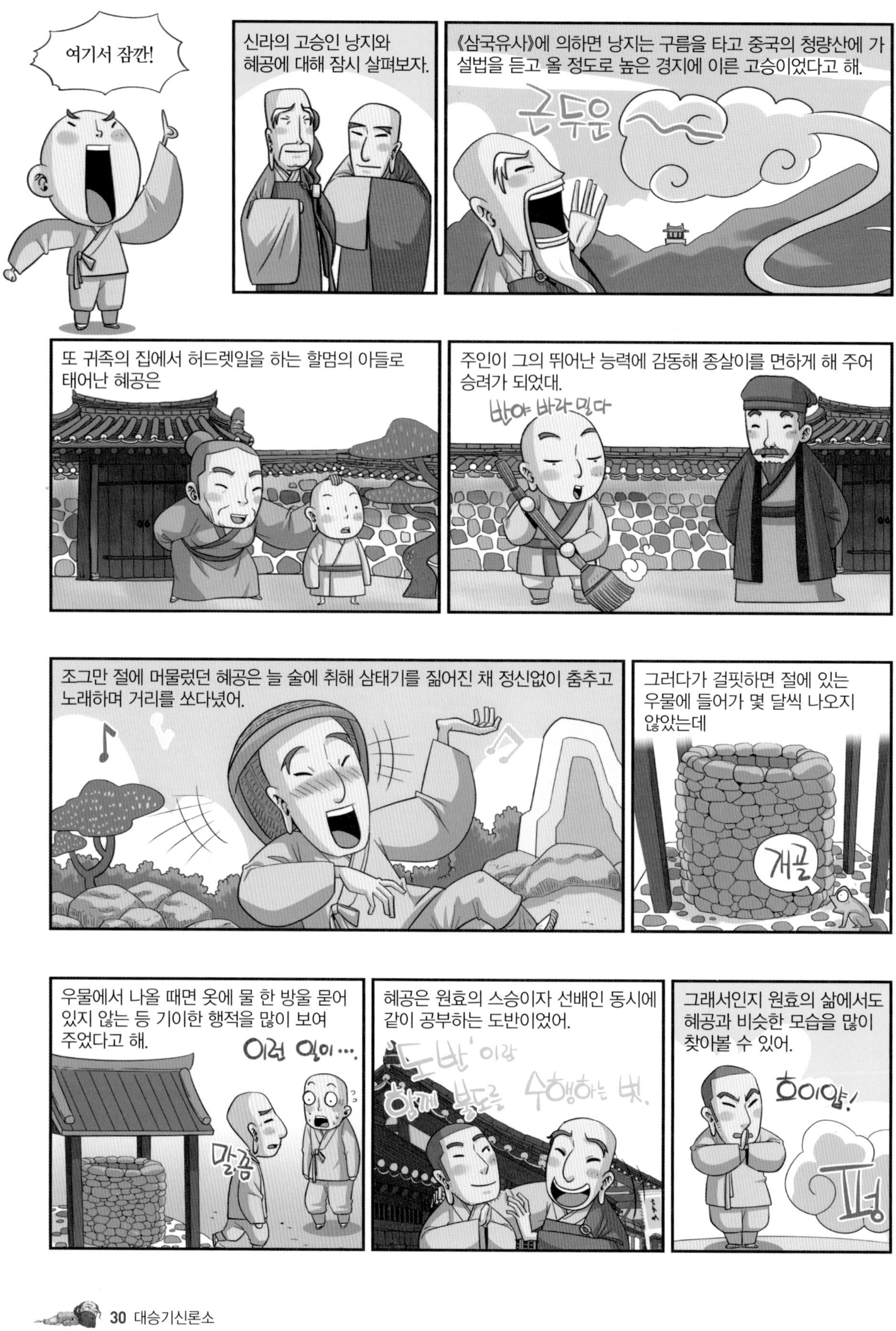
여기서 잠깐!
신라의 고승인 낭지와
혜공에 대해 잠시 살펴보자.
《삼국유사》에 의하면 낭지는 구름을 타고 중국의 청량산에 가
설법을 듣고 올 정도로 높은 경지에 이른 고승이었다고 해.
근두운
또 귀족의 집에서 허드렛일을 하는 할멈의 아들로
태어난 혜공은
주인이 그의 뛰어난 능력에 감동해 종살이를 면하게 해 주어
승려가 되었대.
반야 바라 밀다
조그만 절에 머물렀던 혜공은 늘 술에 취해 삼태기를 짊어진 채 정신없이 춤추고
노래하며 거리를 쏘다녔어.
그러다가 걸핏하면 절에 있는
우물에 들어가 몇 달씩 나오지
않았는데
개골
우물에서 나올 때면 옷에 물 한 방울 묻어
있지 않는 등 기이한 행적을 많이 보여
주었다고 해.
이런 일이…
말끔
혜공은 원효의 스승이자 선배인 동시에
같이 공부하는 도반이었어.
도반' 이란 함께 불도를 수행하는 벗.
그래서인지 원효의 삶에서도
혜공과 비슷한 모습을 많이
찾아볼 수 있어.
호이얍!
펑

원효는 경전을 읽고 여러 스승에게 불법을 배우며 진리를 찾기 위해 노력했어.
가르쳐 줘요~.
놔라!
그러나 자기의 공부에 만족할 수 없었어.
결정했어.
신라는 너무 좁아!
원효는 더 많은 경전과 훌륭한 스승들이 있는 당나라로 유학을 가기로 결심했어.
당나라의 수도인 장안은 당시 문명이 가장 앞선 중심지였거든.
650년(진덕 여왕 4년)에 원효는 의상과 함께 유학을 떠났어.
그때 원효는 서른네 살이었고, 의상은 스물여섯 살이었어.
당시 중국에는 현장이라는 승려가 인도에서 가져온 수많은 불교 경전이 한문으로 번역되어 '유식학'이라는 새로운 불교 사상으로 유행하고 있었어.
원효와 의상 역시 이 새로운 불교를 익혀 깨달음에 이르기 위해 유학을 떠난 거야.
뭔가 유식해지는 것 같아.
원효와 의상은 고구려를 거치는 육로를 선택했어.
당
우린 스님이니까 괜찮을 거야.
압록강까지 건넜지만 그들은 결국 고구려 병사에게 체포되었어.
거기 서!
압록강
유학을 가려는 승려라고 설명했지만 고구려 병사들은 쉽게 의심을 풀지 않았지.
정말이라오.

전쟁 중에 몰래 고구려에 들어온 신라 승려들을 간첩으로 의심한 것은 당연한 일이었어.
어디가 스님이야?
두 사람은 수십 일 넘게 감옥에 갇혀 고생한 후 겨우 풀려났어.
고생만 실컷 하다가 유학은 실패하고 말았지.
실패~!
11년의 세월이 흐른 뒤, 두 사람은 다시 유학을 계획했어.
아 유 레디?
끄덕 끄덕
유학을 가기에는 적지 않은 나이였으나 진리를 찾아 깨달음을 얻고자 하는 원효와 의상에게 나이는 중요하지 않았지.
원효와 의상은 지난번과는 달리 바닷길을 선택했어.
괜히 간첩으로 몰릴라!
바닷길
이번에는 무사히 당나라에 도착했을까?
두 사람은 당나라행 배를 타기 위해 당항성으로 가던 도중 큰 폭우를 만났어.
번쩍
비바람이 너무 거세 계속 갈 수 없는 상황이었지.
저기서 좀 쉬어 가세.
둘은 토굴 속으로 몸을 피해 하룻밤을 잤어.
쏴아아아아~~
하루 종일 먼 길을 걸은 탓일까, 원효는 자다가 목이 너무 말라 일어났어.
목말라~.

사방은 깜깜한 어둠뿐이었어.
더듬 더듬
원효는 주변을 더듬었어. 그러자 물이 담긴 그릇이 손에 잡혔지.
옳거니!
단숨에 물을 마시니 물맛이 아주 좋았어.
캬아~!
다음 날 아침, 눈을 떠 보니 두 사람은 토굴이 아닌 무덤에 누워 있었어.
맛있게 마신 물이 해골에 담긴 썩은 물이었던 거야. 원효는 순간 구역질이 올라왔어.
웁!
어젯밤에 마신 물이나 아침에 본 물은 모두 같은 물인데
으~
어젯밤에는 그렇게 맛있던 것이 지금은 구역질을 일으키다니!
원효는 순간 번쩍하고 깨달았어.
마음이 일어나니 갖가지 일이 일어나고, 마음이 사라지니 갖가지 일이 사라져서 토굴과 무덤이 다르지 않음을 알겠구나. 모든 것은 마음이 지어내는 것이구나.
이것을 '일체유심조(一切唯心造)'라고 해.
一切 唯 心 造
모든 것 오직 마음 지어내는 것
'모든 것은 오직 마음이 지어내는 것'이라는 뜻이야.

원효는 당나라에서 새로운 학문을 배워 깨달음과 진리 그리고 고통에서 벗어나는 길을 찾고자 했어.
당나라
진리
깨달음
그런데 해골에 담긴 물로 인해 모든 것은 마음이 지어내는 것임을 깨달은 거야.
슈우우
자신이 찾던 것이 책이나 당나라가 아닌, 자기 마음속에 있음을 알게 된 것이지.
마음
心
이제 당나라로 유학 갈 이유가 없어진 원효는 다시 신라로 돌아왔어.
잘 다녀오시게.
네?
이처럼 마음의 본질에 대한 극적인 통찰이 또 어디에 있을까?
당시 신라의 불교계는 중국에서 들어온 다양한 경전을 놓고, 해석을 달리하며 자기 종파가 옳다고 논쟁을 벌이고 있었어.
내가 옳거든~!
헉
깨달음을 얻은 원효가 보기에 이들은 논쟁을 벌일 필요가 없었어.
다 부질없는 것!
옥신각신
각 주장의 궁극적인 핵심은 모두 깨달음을 얻어 부처가 되는 것이었기 때문이야.

원효는 불교의 여러 가지 이론을 열 가지 질문으로 정리한 《십문화쟁론》을 통해 자신의 생각을 다음과 같이 밝혔어.
부처님이 세상에 있을 때는 부처님의 가르침에 힘입어 사람들이 똑같이 이해했다. 그런데 쓸데없는 이론들이 구름처럼 일어나 '나는 옳고 남은 그르다.' 혹은 '나는 그러하나 남들은 그렇지 않다.'는 주장들이 하천과 강을 이룬다. 비유하건데 청색과 남색은 같은 바탕이고, 얼음과 물도 같은 것으로 구성되어 있다.
원효는 다양한 종파의 대립과 갈등은 겉모습일 뿐, 얼마든지 조화를 이룰 수 있다고 믿었어.
화
그리고 《대승기신론소》를 통해 다양한 대승 불교의 사상을 하나로 통합시키고자 했지.
대승 불교
그래서 원효의 사상을 다양한 논쟁을 조화시키는 사상, 즉 화쟁 사상이라고 불러.
화쟁 사상
위이이잉~
대립하던 불교 사상들을 하나로 통하게 했다고 해서 통불교 사상이라고 부르기도 하지.
통불교
중국의 불교가 다양한 종파를 중심으로 발달한 종파 불교라면 우리나라는 통불교란다.
종파 불교
통불교

한편, 의상은 원효와 헤어진 후 홀로 유학길을 떠났어.
두 사람의 선택이 달랐던 이유는 무엇일까?
역시 해골?
설마 원효는 해골 물을 마시고 의상은 마시지 않아서라고 생각하는 것은 아니지?
아하하…,
팡
팡
원효와 의상은 나이 차이는 컸지만 부처님의 가르침을 함께 공부하는 좋은 도반이었어.
그러나 삶의 스타일은 아주 달랐지.
원효는 학문적 깊이를 지니면서도 자유롭게 행동하는 스타일인 반면에
관습이 뭔 데? 하하하.
의상은 반듯하고 모범적이며 잘 다듬어진 스타일이었거든.
의상은 승려다우면서도 세련되고 지적인, 왕족 출신의 엘리트였어.
불교계의 엄친아
으흠.
두 사람이 얼마나 달랐는지는 원효와 의상의 사랑 이야기만 봐도 잘 알 수 있어.
크으~ 정말 사랑했었지.
부끄럽게 남의 사랑 이야기를.
승려의 사랑이라니, 어쩐지 흥미진진해지지 않니?
끄덕
끄덕
지금부터 두 사람의 사랑 이야기를 들여다볼까?

홀로 유학길에 오른 의상은 당나라에 도착해 불교 신자인 유지인의 집에 며칠 동안 머물렀어.
유지인에게는 선묘라는 딸이 있었는데, 의상을 보고 한눈에 반했다고 해.
그런데 오직 깨달음을 얻고자 하던 모범생 의상은 선묘에게 눈길 한번 주지 않았어.
선묘는 마음이 아팠지만 어쩔 도리가 없었어.
그래서 이번 생에는 의상과 부부의 연이 없음을 받아들이고 불교를 공부하며 의상을 돕겠다고 마음먹었지.
유지인의 집을 떠난 의상은 당나라의 유명한 승려인 지엄을 찾아가 제자가 되었어.
지엄은 의상에게 화엄종이라는 새로운 불교의 세계를 열어 주었어.
활짝
화엄종
의상은 지엄의 가르침에서 한 걸음 더 나아가 새로운 이치를 밝히며 열심히 공부했지.
폴짝
새로운 이치
그러던 중 신라와 당나라 간에 갈등이 생기면서 당나라에 있던 신라의 재상 김흠순이 감옥에 갇히고, 당나라가 군사를 일으켜 신라를 치려 했어.
당
군사
김흠순은 의상에게 몰래 이 사실을 전했고, 빨리 신라에 알려 달라고 부탁했어.
헉!
소곤 소곤

의상은 신라로 돌아가던 중 또다시
유지인의 집에 잠시 머물렀어.
또 오셨어요?
그러고는 선묘에게 간다는
인사도 없이 신라행 배를 탔지.
신라행
선묘는 그리워하며 기다렸던 의상이
떠났다는 말을 듣고 버선발로
뛰어나왔지만 멀어져 가는 배를 보고는
바다에 몸을 던져 버렸어.
첨벙
결국 선묘는 바다의 용이 되었고, 신라로 와서 오랫동안 의상을 도왔대.
신라
애틋하면서도 가슴 아픈 사랑
이야기지?
히잉~
이번에는 원효의 파격적인 사랑
이야기를 살펴볼까?
응?
원효의 사랑 이야기는 《삼국유사》에
실려 있어.
삼국유사
언제인지는 정확하지 않지만, 원효의
이름이 이미 신라에 널리 알려졌을 때야.
어느 날 원효는 아침부터 미친 사람처럼 거리를 쏘다니며 큰 소리로
노래를 불렀어.
누가 내게 자루 빠진
도끼를 빌려주려나,
내가 하늘 받칠
기둥을 찍어 내리라.
사람들은 원래 이상한 행동을 잘 하는 원효가
오늘은 무슨 바람이 불어서 저러나 할 뿐,
그 뜻을 알아차리지 못했어.

그러나 당시 신라의 왕은 이 노래를 듣고 그 뜻을 알아차렸어.
누가 내게 자루 빠진 도끼를 빌려주려나, 내가 하늘 받칠 기둥을 찍어 내리라.
스님이 부인을 얻어 훌륭한 아들을 낳고 싶은 모양이구나. 그런 분의 자식이라면 영특할 것이고, 나라에 훌륭한 인재가 생기면 그보다 좋은 일은 없겠지.
왕은 마땅한 여자가 없을까 궁리하다가 요석궁에 혼자 살고 있는 공주를 떠올렸어.
오호! 우리 공주가 있었지.
왕은 원효를 찾아 요석궁으로 안내하라는 명을 내렸어.
잘 모셔 오도록~.
원효는 이미 그럴 줄 알고 문천교 다리에서 관리를 기다렸지.
모든 일이 다 부처님의 뜻!
오는군.
원효는 다리 건너에서 관리의 모습이 보이자 모르는 척 다리를 건너다가 일부러 발을 헛딛고 물에 빠졌어.
풍덩
관리들은 허겁지겁 원효를 건져 요석궁으로 데려갔지.
아이고~
원효는 젖은 옷을 말린다는 핑계로 옷을 벗고 궁에 머물렀어.
옷이 덜 말랐네.

그렇게 원효와 사랑을 나눈 요석 공주는 얼마 후 아기를 낳았어. 그 아기가 바로 설총이야.
응애 응애 응애
나면서부터 총명했던 설총은 유학과 역사에 통달했을 뿐만 아니라 *이두도 만들었어.
유학 역사
음… 우리가 보기 쉬운 문자가 있어야지.

* 이두(吏讀): 한자의 음과 뜻을 빌려 우리말을 적은 표기법.

그리고 신라를 대표하는 10인의 현인에 들 정도로 훌륭한 인물이 되었지.
신라 대표 인물 10인 중 1인
정말 나라를 받치는 기둥이 된 거야.
신라
흐이얍
깨달음의 길에 들어서는 승려는 스스로 금욕적인 생활을 해.
깨달음
금욕
종파에 따라 다르기는 하지만 결혼을 하지 않고, 술이나 고기도 먹지 않지.
유후~
그런데 승려가 공주와 결혼해 아들을 낳았다니 대단히 파격적이지 않니?
깨달음은 멀리 있는 게 아냐~.
그렇지?
까르르
원효는 불교의 경, 율, 논 삼장을 두루 꿰뚫은 뛰어난 학자였어.
경 율 논
백성들은 그런 원효를 존경했지.
와와!
와와!
대부분 남아 있지 않지만 원효는 107종 231권 (또는 70여 종 90여 권)의 책을 쓰기도 했어.
팔 아파서 더 못 쓰겠다!

이처럼 원효는 우리나라 불교 역사의 첫 새벽을 연 탁월한 학자였어.
불교
역사
《대승기신론소》와 《금강삼매경론》은 중국의 뛰어난 학자들도 칭찬을 아끼지 않을 정도지.
대승기신론소
금강삼매경론
이 책들은 일본 불교계에도 큰 영향을 끼쳤다고 해.
이런 책도 있스무니까?
엄청나무니다!
그런 *큰스님이 왜 계율을 어기고 공주와 사랑을 한 걸까?
여기에는 여러 의견이 있어. 가장 널리 알려진 이야기는 다음과 같아.
원효가 그렇고 그렇다네~.
이 사람들이!
쑥덕 쑥덕
허이고~.

* 큰스님: 덕이 썩 높은 생불을 높여 이르는 말.

당시 신라에는 대안(大安)이라는 승려가 있었어.
그는 시장 바닥에서 대중들과 어울리며 '크게(大) 편안해라(安).'라고 외치고 다녔어.
다들 편안해라!
크게 편안해라!
대안은 높은 경지에 이른 승려였지만 당시 신라의 불교계는 이를 인정하지 않았다고 해.
불교 협회
그 스님은 사이비야~.
끄덕 끄덕
어느 날 대안은 원효를 천민들이 사는 동네로 데리고 갔어.
원효는 그때까지 천민 동네에 가 본 적이 없었어.
내가 어쩌다 여기까지.
본래 귀족 출신인 데다가 귀족적이었던 신라 불교의 영향으로 천민 동네에 갈 일이 없었던 거야.
잊었어?
나 귀족 출신이잖아~.
6두품!

대안은 원효를 데리고 주막으로 들어가 큰 소리로 외쳤어.
어이, 주모! 여기 귀한 손님이 오셨으니 술상 좀 봐 주게!
술상이라니, 출가한 승려에게 용납될 수 없는 일이었지.
원효는 자리에 앉지도 않고 바로 뒤돌아 나왔어.
날 뭘로 보고!
그러자 대안은 원효에게 "이보게, 마땅히 구제해야 할 중생을 여기에 두고 어디 가서 중생을 구제한다는 말인가?"라고 말했어.
엥?
원효는 이 말에 큰 충격을 받았어.
대승 불교의 핵심은 '보살의 중생 구제 사상'에 있어.
불쌍한 중생을 구제해 주시옵소서.
원효는 주장과 행동이 맞지 않았던 자신이 크게 부끄러웠어.
난 말뿐이지 않던가?
이 일 이후 원효는 자신의 공부가 부족하다는 것을 알고 승려를 가르치던 스승의 역할을 그만두었어.
나 같은 놈이 누굴 가르친단 말이냐?
?
대신 머리를 기르고 신분을 숨긴 채 승려들이 모여 공부하는 절에서 머슴 생활을 했지.
슥슥

그 절에는 음식을 얻을 때 방울만 흔들어 방울이라고 불리던 승려가 있었어.
나무아미타불
방울 스님
오셨어요?
딸랑
딸랑
원효는 척추 장애인이었던 그를 불쌍히 여겨 자비로운 마음으로 잘 대해 주었어.
싹
그러던 어느 날 승려들이 《대승기신론》에 대해 이치에 어긋나게 논쟁하는 모습을 본 원효는 자신이 머슴인 것을 잊고, 불쑥 끼어들고 말았어.
이거라고~~~!
깜짝
이 일로 신분이 들통날 위험에 처하자 원효는 몰래 절을 떠나려고 했어.
내가 왜 그랬지?
으악!
그때 방울이 문을 열고 "원효, 잘 가시게."라고 말했어.
방울은 원효보다 더 높은 경지에 있었던 거야.
방울의 눈에는 원효의 말과 행동이 훤히 보였던 것이지.
원효는 대안이 말한 '마땅히 구제해야 할 중생'이 바로 자신 안의 분별하는 마음이었음을 깨달았어.
어디서 이런 걸림돌이.
분별심
옳음과 그름, 깨끗함과 더러움 등을 분별하는 그 마음이 바로 중생임을 깨달은 거야.
이런 중생 같으니라고.
옳다
그르다
깨끗하다
더럽다
술집 간다
안 간다

대안은 천민들이 불쌍해 그들을 구제하려고 거기에 있는 것이 아니었어.
마음에 분별하는 것이 없었기 때문에 그냥 거기에 와서 같이 살았던 것이지.
사람 위에 사람 없고 사람 밑에 사람 없다.
스님~
천민 동네의 사람들은 대안의 친구이자 스승이었어.
원효는 대안에 이어 방울한테서 다시 깨달음을 얻은 셈이야.
동정심을 가지고 보다니.
원효는 그 길로 천민들이 사는 동네로 갔어.
그들을 구제하기 위해서가 아니라, 그들을 스승으로 받들고 도반으로 더불어 살기 위해서였지.
깨달음을 얻기 위해.
그러나 그곳에서 원효는 또 다른 장벽에 부딪치고 말았어.
윽!
퍽
마을 사람들이 원효를 위대한 대사라며 떠받들었기 때문이야.
오셨다~.
분별하는 마음을 버리고 친구가 되려고 했는데 그럴 수 없게 된 거야.
이건 내가 원한 게 아냐~.
불쌍한 중생을 구제해 주세요~.
원효는 자신의 이름이 장애물이 되고 있음을 깨달았어.
내 이름 또한 걸림돌이군.

그 뒤 원효는 요석 공주와 스캔들을 일으켰어.
그러자 이제까지 원효를 떠받들던 왕족과 귀족 승려들이 원효를 손가락질하며 절에서 추방해 버렸어.
이 더러운 놈!
하루아침에 위대한 스승에서 형편없는 파계승이 된 거야.
크크크.
계획대로 됐군.
원효는 이후 스스로를 소성거사(그릇이 작은 사내)라고 부르며 천민들과 어울려 살았어. 깡패, 술꾼, 사기꾼, 도둑 등과도 친구로 지냈지.
소성거사
그렇게 몇 년이 지나자 도둑이었던 사람이 승려가 되겠다고 하고
스님! 쉽네~. 머리 깎으면 되네~.
오! 잘 어울리는데?
살생하던 사람이 살생을 멈추고, 깡패가 착실히 일을 하며 술꾼이 취하지 않게 되었다고 해.
휙
술맛이 없네.
일이나 하자.
원효의 스캔들은 파계라기보다 깨달음을 실천하기 위한 스스로의 선택이 아니었을까?
원효는 누구보다 학식이 뛰어나고, 자유로운 삶을 살았어.
어이 소성거사~
불교를 대중화하며 백성과 함께 70년의 생애를 열정적으로 살았지.
그것은 모두 일체유심조, 즉 모든 것은 마음이 만드는 것임을 깨달았기 때문이야. 모든 것을 있는 그대로 볼 수 있게 되면서 신라 불교를 창대하게 발전시킬 수 있었던 것이지.
신라 불교
그럼 우리도 마음의 수수께끼를 풀기 위해 여행을 시작해 볼까?
출발~.

3장 마명이 《대승기신론》을 쓴 이유

이번 장에서는 《대승기신론》과 《대승기신론소》를 쓴 이유를 설명할 거야.
이제부터는 내가 직접 설명해 줄게!

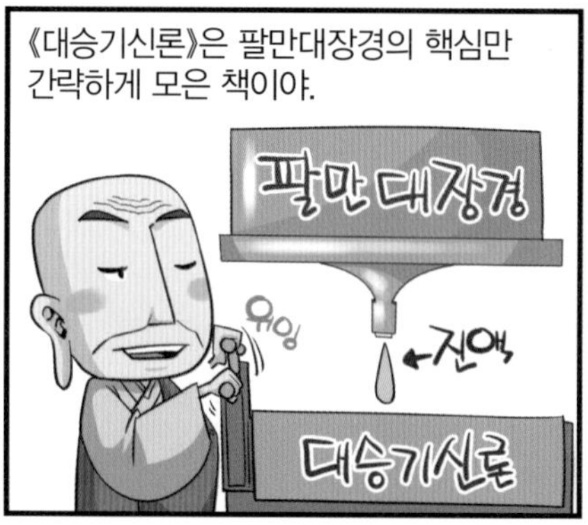

《대승기신론》은 팔만대장경의 핵심만 간략하게 모은 책이야.
팔만 대장경
위잉
←진액
대승기신론

《대승기신론소》는 수준이 높고 내용이 어려운 《대승기신론》의 설명서라고 할 수 있지.
이제 좀 볼 만하네.

《대승기신론소》는 일반인들의 이해를 돕기 위해 세 부분으로 나뉘어 있어.
1 2 3

첫 번째 부분에서는 《대승기신론》의 핵심을, 두 번째 부분에서는 제목을, 세 번째 부분에서는 책의 내용을 풀어 설명했지.
1. 핵심 요약
2. 제목 설명
3. 내용 설명
크으~ 깔끔하다.

《대승기신론》의 핵심은 무엇일까? 힌트를 줄 테니 한번 맞혀 봐!
이것은 텅 빈 듯 고요하고 깊고도 그윽한 것이네! 세상의 모든 것은 이것에서 생겨나고 이것으로부터 벗어날 수 없지! 이것은 눈으로 볼 수 없고 말로 다 설명할 수도 없는 것이지! 이것은 엄청 크다고 할 수 있고 엄청 작다고도 할 수 있는 것이지! 이것을 어떻게 쓰느냐에 따라 천당에 오르기도 하고 지옥에 떨어지기도 하지!
정답! '마음' 아닌가요?
마음은 눈으로 볼 수 없고, 나도 내 마음을 모를 때가 많으니 설명할 수 없잖아요.
또 착해질 때는 마음이 커지고, 천당에 있는 것 같고요.
그런데 제 마음은 기분이 좋다가도 금방 나빠져요.
게다가 엄청 복잡하고 시끄러워서 고요하고 깊지 않은 것 같아요.

또 여기에 있는
휴대 전화나 책도 마음과 상관없이
그냥 있는 것 아닌가요?
쉽게 이해하기
힘들지?
보통 사람들은 우리의 마음이 고요하고도 깊고 그윽하며 세상의 모든 것이 마음에서 생겨날 뿐 아니라 마음에서 벗어나지 못한다는 것을 믿기 어려워해.
고요하고도 깊고 그윽한 마음을 경험해 본 적이 없고, 괴로움이나 기쁨이 어디에서 생겨나는지 알지 못하기 때문이야.
마명은 부처님의 가르침을 통해 우리 마음의 '진짜 모습'을 깨달았어.
부처님의 마음과 같은 우리 마음의 진짜 모습을 말이야.
=
마명은 그것을 알지 못한 채 화내고 미워하며 괴롭게 사는 사람들이 안타까웠어.
투닥 투닥
애석하도다!
그래서 사람들에게 진짜 마음의 모습, 즉 마음의 본래 모습을 알려 주기 위해 《대승기신론》을 썼지.
저들을
깨닫게
하리라!
《대승기신론》의 표현을 빌리면 일심(一心), 즉 대승에 대한 믿음을 일으키기 위해 이 책을 쓴 거야.
一心 대승

우리 마음의 진짜 모습이 부처님과 같다니, 의아할 수 있어.
제가 말을 더듬으면 따라 하며 놀리고, 지나가다 툭툭 치고, 제 물건을 자기 것처럼 가져다 쓰는 저 친구의 마음이 부처님의 마음과 같다고요?
내 거잖아?
지금의 마음이 그렇다는 뜻은 아니야. 너나 친구의 마음 바탕에 부처님의 마음과 같은 진짜 마음, 본래의 마음이 있다는 뜻이지.
지금의 마음이 서로 다른 것은 너무나 당연해요.
그런데 바탕이 같다는 말은 믿을 수가 없어요. 그런 아이들은 마치 악마 같다고요!
또 제 마음도 부처님과 같지 않고요.
내 말을 믿기 어렵다니 이야기를 하나 해 주지. 《법화경》에 나오는 이야기야.

어려서 집을 떠난 남자가 있었어.
집을 떠난 이유는 알 수 없으나 집 떠나면 고생이라는 말처럼 그는 가난하고 비참한 삶을 살았어.
으~ 배고파~.
추워….
엄마… 아파….
남자는 먹고살기 위해 애쓰며 50여 년 동안 방랑 생활을 했어.
자신의 고향이 어디인지, 또 가족이 누구인지도 잊고 말았지.
이제 쉬고 싶다~.
여기저기를 떠돌던 남자는 고향으로 돌아왔어.
그러나 자신이 도착한 곳이 고향인지 알지 못하고 거지처럼 생활했어.
배고파!
남자의 아버지는 성공한 상인으로, 큰 부자였어.
으리으리
오랫동안 집 떠난 아들을 애타게 그리워하고 있었지.
내 아들아!
어디 있는 거니?
재산을 물려줄 자식이 없는 처지였지만 누구에게도 이런 사정을 말하지 않았어.
그러던 어느 날 남자는 일자리를 찾다가 상인의 집 앞에 도착했어.
문틈 사이로 들여다본 상인의 집은 크고 아름다웠지.
끼익

상인은 높은 의자에 앉아 부유하고 고귀한 사람들에게 둘러싸여 있었어.
남자는 상인의 집 환경이 자신의 삶과 너무나 동떨어져 있어 겁이 덜컥 났어.
자칫하면 잡혀 감옥에 갈지도 모른다고 생각한 남자는 서둘러 그곳을 떠났어.
후다닥
그런데 상인은 문틈으로 보이는 거지가 자신의 아들임을 알았어.
오랫동안 애타게 기다렸던 아들을 보자 매우 기뻤던 상인은
오 아들아.
하인들을 시켜 남자를 데려오게 했어.
남자는 상인이 보낸 하인들이 뒤쫓아 오자 겁에 질렸어.
다다다다
'이제 죽었구나!' 싶었던 남자는 제발 살려 달라고 빌었어.
어니 어니….
그냥 본 거뿐이오~.
제발 살려 주시오~.
결국 남자는 상인의 집으로 끌려갔어.
그리고 겁에 질린 나머지 의식을 잃고 말았지.
잡아 왔습니다요~.
털썩

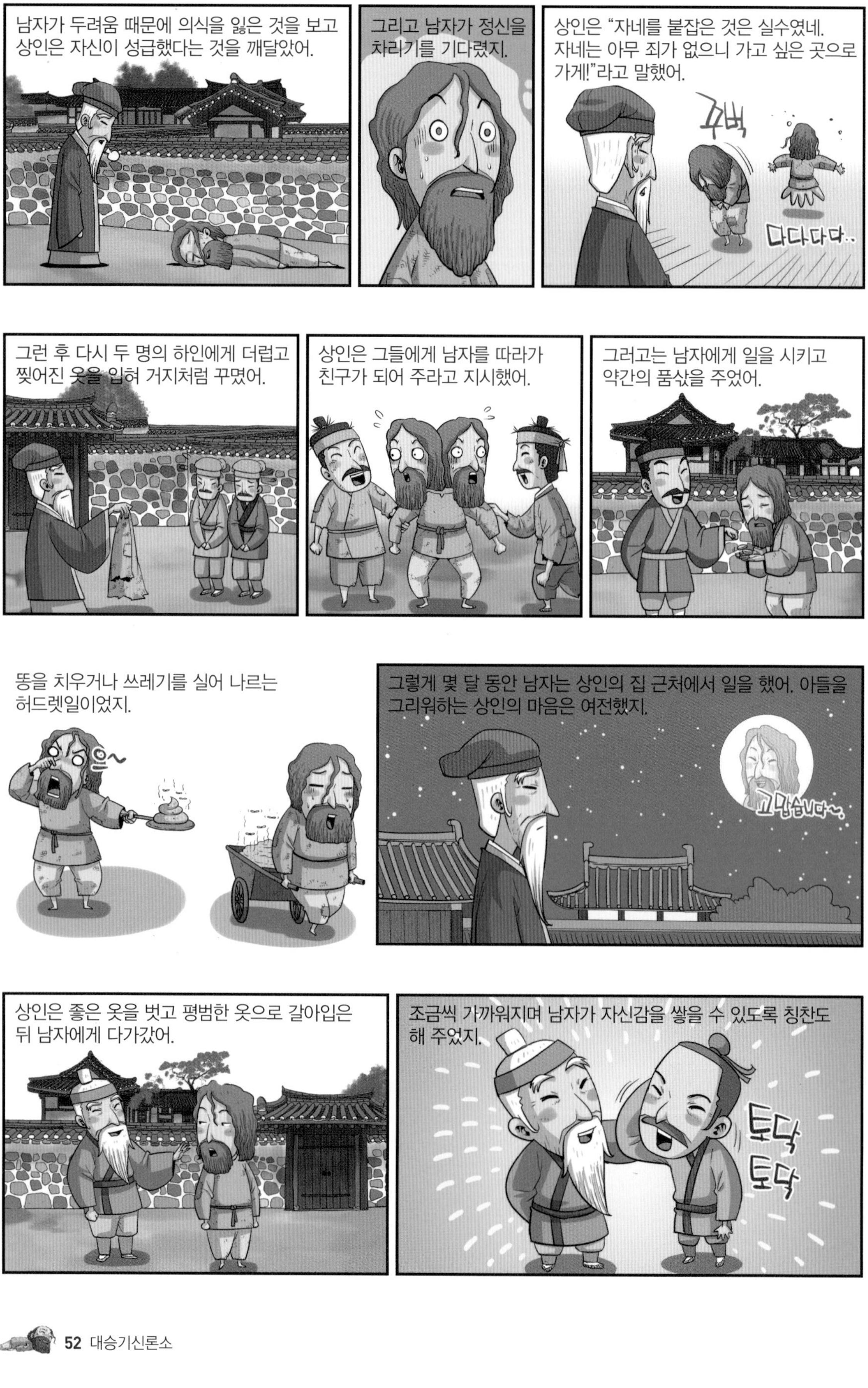

남자가 두려움 때문에 의식을 잃은 것을 보고 상인은 자신이 성급했다는 것을 깨달았어.
그리고 남자가 정신을 차리기를 기다렸지.
상인은 “자네를 붙잡은 것은 실수였네. 자네는 아무 죄가 없으니 가고 싶은 곳으로 가게!”라고 말했어.
꾸벅
다다다다..
그런 후 다시 두 명의 하인에게 더럽고 찢어진 옷을 입혀 거지처럼 꾸몄어.
상인은 그들에게 남자를 따라가 친구가 되어 주라고 지시했어.
그러고는 남자에게 일을 시키고 약간의 품삯을 주었어.
똥을 치우거나 쓰레기를 실어 나르는 허드렛일이었지.
으~
그렇게 몇 달 동안 남자는 상인의 집 근처에서 일을 했어. 아들을 그리워하는 상인의 마음은 여전했지.
고맙습니다~.
상인은 좋은 옷을 벗고 평범한 옷으로 갈아입은 뒤 남자에게 다가갔어.
조금씩 가까워지며 남자가 자신감을 쌓을 수 있도록 칭찬도 해 주었지.
토닥
토닥

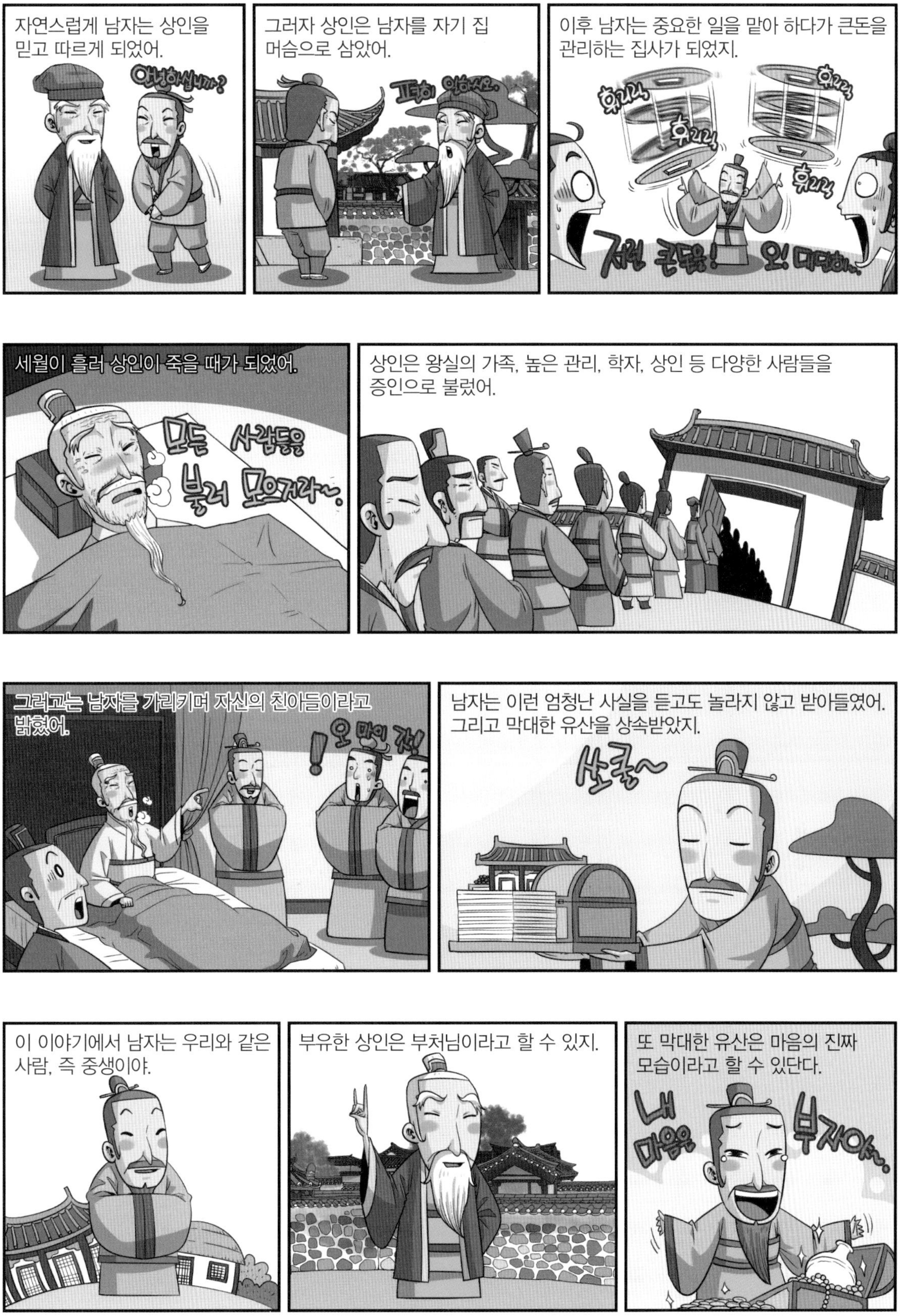

자연스럽게 남자는 상인을
믿고 따르게 되었어.
안녕하십니까?
그러자 상인은 남자를 자기 집
머슴으로 삼았어.
편히 일하시오.
이후 남자는 중요한 일을 맡아 하다가 큰돈을
관리하는 집사가 되었지.
휘리릭
휘리릭
휘리릭
휘리릭
저런 큰돈을!
오! 대단해~
세월이 흘러 상인이 죽을 때가 되었어.
모든 사람들을
불러 모으거라~.
상인은 왕실의 가족, 높은 관리, 학자, 상인 등 다양한 사람들을
증인으로 불렀어.
그러고는 남자를 가리키며 자신의 친아들이라고
밝혔어.
! 오 마이 갓!
남자는 이런 엄청난 사실을 듣고도 놀라지 않고 받아들였어.
그리고 막대한 유산을 상속받았지.
이 이야기에서 남자는 우리와 같은
사람, 즉 중생이야.
부유한 상인은 부처님이라고 할 수 있지.
또 막대한 유산은 마음의 진짜
모습이라고 할 수 있단다.
내 마음은 부자야~.

처음에 남자는 자신의 마음속에 부처님과 똑같은 마음이 있다는 것을 믿지 못했어.
나한테!?
그러자 상인은 남자의 수준에 맞게 다시 가르쳤지.
거지로 꾸민 하인들을 보냈고 그에게 더러운 일을 시켰어.
왜 우리까지 이런 일을 해야 해?
그런 후 보통 사람으로 다가가 남자와 친해진 상인은 남자를 집에 들인 후 머슴 일을 하게 했고, 그 다음에는 집사 일을 맡겼어.
자산관리
그리고 결국 남자가 아들이라는 진실을 밝혔지.
내 아들이오~.
오오!
그 진실을 받아들인 남자는 유산을 상속받고 아버지와 같이 되었어.
여기서 똥과 쓰레기를 치우는 것은 몸과 마음을 괴롭히는 *번뇌와 *망상을 치운다는 뜻이야.
번뇌
망상
또 집 안에 들인다는 것은 진짜 마음을 보기 시작했다는 뜻이지.
진짜 마음 좀 볼까?

* 번뇌(煩惱): 마음이나 몸을 괴롭히는 것.
* 망상(妄想): 이치에 맞지 않는 생각.

머슴과 집사의 일을 하는 것은 마음을 닦는 것을 뜻해.
방을 닦는 게 아냐~. 마음을 다스리는 거라고.
쓱싹
싹싹
유산을 상속받아 아버지처럼 되었다는 것은 진짜 마음인 일심을 회복해 부처가 된 것을 의미하지.
지금은 믿기지 않겠지만 곧 이 말이 무슨 뜻인지 알게 될 거야.

혹시 본래 마음이나 진짜 마음이라는 것은 '양심'과 비슷한 것인가요?
맞아! 이제 조금 이해가 되는가 보구나.
이기적인 마음을 버렸을 때 느끼는 마음!
길에서 주운 돈을 주인에게 돌려주는 마음!
슬퍼하며 우는 사람을 진심으로 위로하는 마음!
아프리카의 어린이에게 후원금을 보내는 마음!
잘못된 일을 바로잡고자 하는 마음!
이런 마음은 컴퓨터에 깔려 있는 기본 프로그램처럼 선천적으로 주어진 마음이야.
컴퓨터에 아주 좋은 프로그램이 깔려 있는데도 단순한 기능만 사용하는 친구가 있다면 어떡할래?
좋은 프로그램이 있다는 사실을 알려 주고, 사용법도 가르쳐 줄 거예요!
바로 그것이 《대승기신론》의 핵심이야. 이미 우리 안에 부처님 같은 마음이 있다는 것과 그것을 통해 부처님처럼 사는 법을 가르쳐 주는 것이지.
오호!
제 속에 부처님 같은 마음이 있다는 것을 믿고, 그 마음의 사용법을 깨달으면 저도 부처님 같은 삶을 살 수 있을까요?
아무렴!
그러려면 먼저 《대승기신론》의 내용부터 살펴봐야겠지?
풍덩
대승기신론
보통의 논설문은 서론, 본론, 결론으로 나누어 써.
논설문
서론-본론-결론
《대승기신론》도 비슷해. 맨 처음 '귀경게'라는 글이 나오고 이어서 본문이 나오지.
귀경게
본문 뒤에는 '회향송'이라는 글이 나오는데 귀경게와 회향송은 매우 짧아. 반면에 본문은 길지.
귀경게
본문
회향송

본문은 다섯 부분으로 이루어져 있어.
귀경게
인연분
입의분
해석분
수행신심분
수행이익분
회향송
첫째는 왜 이 논을 썼는지, 즉 어떤 인연으로 이 논을 쓰게 되었는지를 설명하는 '인연분(因緣分)'이야.
모든 것은 다 인연이 있어 만나는 거지.
둘째는 이 논의 핵심을 설명하는 부분으로, 뜻을 세우는 '입의분(立意分)'이지.
쑤욱
뜻
셋째는 이 논을 자세히 설명하고 해석하는 '해석분(解釋分)'이야.
제일 신경 썼지.
해석분
넷째는 실제로 몸과 마음을 어떻게 닦아야 하는지 설명하는 '수행신심분(修行身心分)'이고
이렇게 하면 감기 걸려~.
쏴아아
엣취!
다섯째는 이 논대로 수행하면 어떤 이익이 있는지 설명하는 '수행이익분(修行利益分)'이야.
몸과 마음을 닦으니 세상이 다 내 것 같구만.
먼저 귀경게를 읽어 볼까?
샥
귀경게
언제 어디서나 가장 뛰어난 활동을 하시며 지혜를 갖추고 여러 가지 모습으로 모든 생명을 구하시는 자비로운 부처님과 끝도 없이 좋은 덕을 갖추고 있는 부처님의 가르침 그리고 바르게 수행하시는 수행자들을 공경하며 따르고자 합니다.
귀경게는 '이러한 마음으로 공부를 하겠습니다.'라는 인사말과 같은 거야.
그 마음은 세 가지 보배로운 것, 즉 '삼보'를 공경하며 따르겠다는 마음이지.
삼보?
?
삼보는 불보, 법보, 승보라고도 해.
불보 : 석가모니 부처님
법보 : 부처님의 가르침
승보 : 수행자(승려나 바르게 수행하는 사람)
아하!

자비로운 부처님과 부처님의 가르침 그리고 부처님의 가르침을 좇는 사람들을 공경하고 따르는 마음으로 인사를 드렸으니, 이제 이 책이 어떤 인연으로 탄생했는지 살펴보자.
이제 써 볼까?
펄럭
Why?
《대승기신론》은 첫째, 사람들로 하여금 깨달음의 기쁨을 얻게 하기 위해 만들어졌어.
진정한 자유다~!
만약에 어떻게 하면 높은 지위에 오를 수 있는지 또는 많은 돈을 벌 수 있는지에 대한 답을 찾는 사람이라면 이 책에서는 얻을 것이 없어.
뭐야!
돈 버는 책이 아니잖아~?
관세음 보살~.
이 책은 삶과 죽음의 괴로움에서 벗어나고자 하는 사람을 위한 책이거든.
삶의
죽음
둘째, 모든 사람에게 부처님의 가르침을 올바로 이해시키기 위해 만들어졌어.
올바른 이해
부처님 가르침
셋째, 도를 닦아 깨달음을 얻으려는 사람이 어려움을 극복하고 공부할 수 있도록 하기 위해 만들어졌어.
지침서
대승
넷째, 마음공부를 하려는 마음이 부족한 사람으로 하여금 믿음을 가질 수 있게 하기 위해 만들어졌어.
덜덜덜
넌 할 수 있어!
마명
다섯째, 구체적인 수행 방법을 제시해 어리석고 잘못된 생각에서 벗어나게 하기 위해 만들어졌어.
바로 수행한다, 실시!
실시!

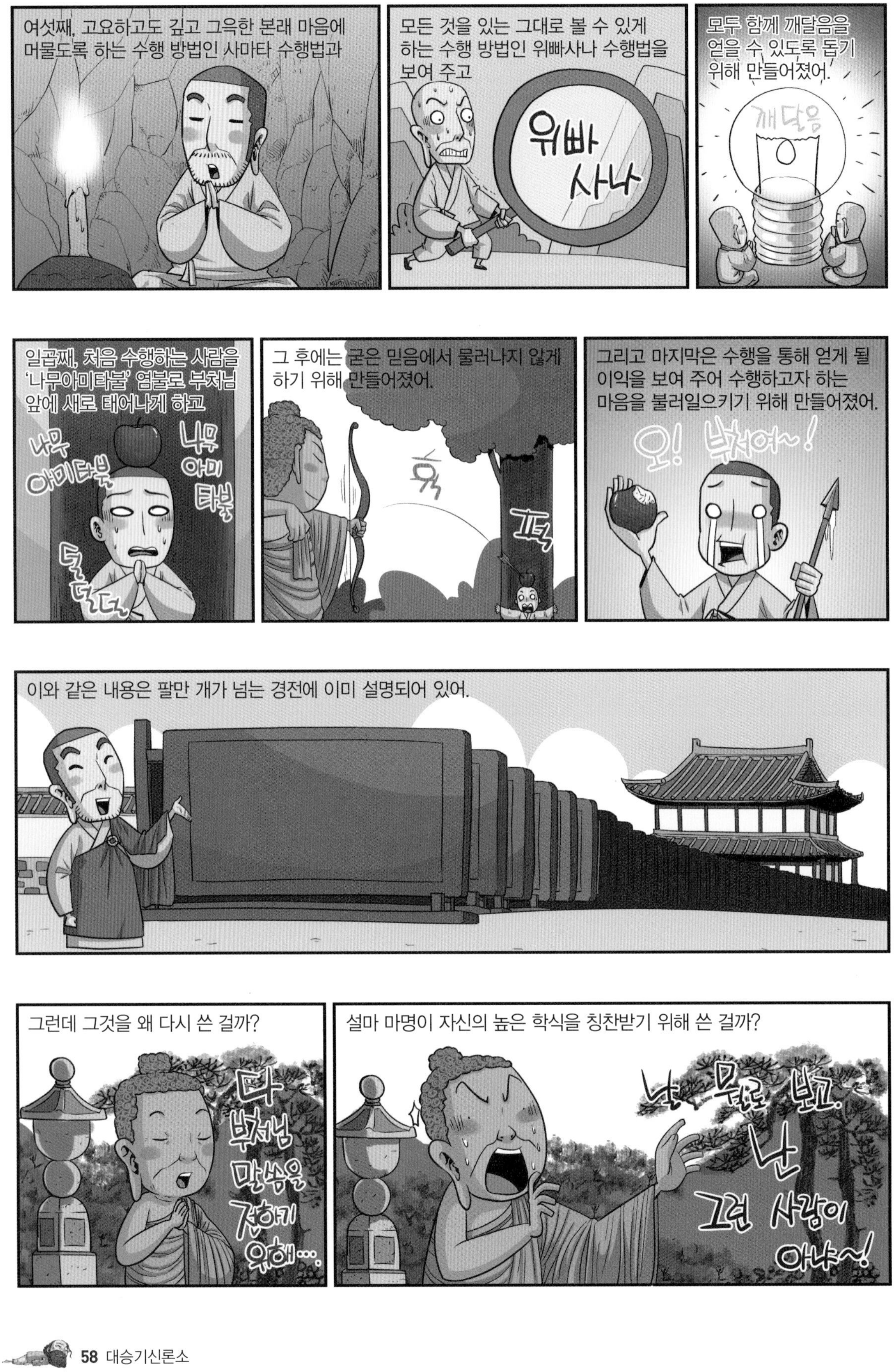
여섯째, 고요하고도 깊고 그윽한 본래 마음에 머물도록 하는 수행 방법인 사마타 수행법과
모든 것을 있는 그대로 볼 수 있게 하는 수행 방법인 위빠사나 수행법을 보여 주고
위빠 사나
모두 함께 깨달음을 얻을 수 있도록 돕기 위해 만들어졌어.
깨달음
일곱째, 처음 수행하는 사람을 '나무아미타불' 염불로 부처님 앞에 새로 태어나게 하고
나무 아미타불
나무 아미 타불
덜덜덜
그 후에는 굳은 믿음에서 물러나지 않게 하기 위해 만들어졌어.
휙
퍽
그리고 마지막은 수행을 통해 얻게 될 이익을 보여 주어 수행하고자 하는 마음을 불러일으키기 위해 만들어졌어.
오! 부처여~!
이와 같은 내용은 팔만 개가 넘는 경전에 이미 설명되어 있어.
그런데 그것을 왜 다시 쓴 걸까?
다 부처님 말씀을 전하기 위해….
설마 마명이 자신의 높은 학식을 칭찬받기 위해 쓴 걸까?
날 뭘로 보고.
난 그런 사람이 아냐~!

그건 아니야.
당연하지~!
휴~
사람마다 수준이 다르므로 이해하는 정도도 각각 달라.
다 저마다 스타일이 있으니까.
으흠
부처님이 살아 있을 당시에는 부처님의 설명이 뛰어났을 뿐만 아니라 사람들의 수준도 높았어.
깨달음이란~.
부처님이 한 번 말씀하면 수준이 다른 중생들도 모두 이해해 설명서가 따로 필요하지 않았지.
와~
그러나 부처님이 죽은 후 사정이 달라졌어.
?
어떤 이는 경전을 무수히 읽어 이해한 반면에 어떤 이는 몇 번 읽지도 않고 이해했어.
백만 스물두 번 읽으니 이제 이해되네.
음… 역시 깨달음의 길은 먼 곳에 있는 게 아니었어.
그러나 대다수의 사람들은 경전만으로는 이해하지 못했지.
설명을 좀 해 주세요~!
설명서, 즉 '논'이 필요했어.
많은 중생들을 위하여.
그렇지만 일부 사람들은 글이 많고 번거로운 설명에 부담을 느꼈어.
요점 정리된 논은 없나?
짧고 간단하게 정리된 설명서가 필요하게 된 거야.
그런 거라면 하나 있긴 한데….
오! 그것이 무엇이오?
《대승기신론》은 이처럼 경전을 듣고 이해하는 정도가 다른 다양한 사람 중 간략하게 정리된 설명을 좋아하는 사람들을 위한 책이란다.
대승기신론
대승기신론
우와! 대단하다~!

4장

마음속에 있는 문 1

– 심진여문(心眞如門)

심생멸문

《대승기신론》에는 다음과 같은 글이 있어.
마음에는 두 종류의 문이 있다.
하나는 심진여문(心眞如門)이며
또 하나는 심생멸문(心生滅門)이다.
이 두 개의 문은 각각 모든 것을 담고 있는데
그 이유는 두 문이 서로 독립된 것이 아니기 때문이다.

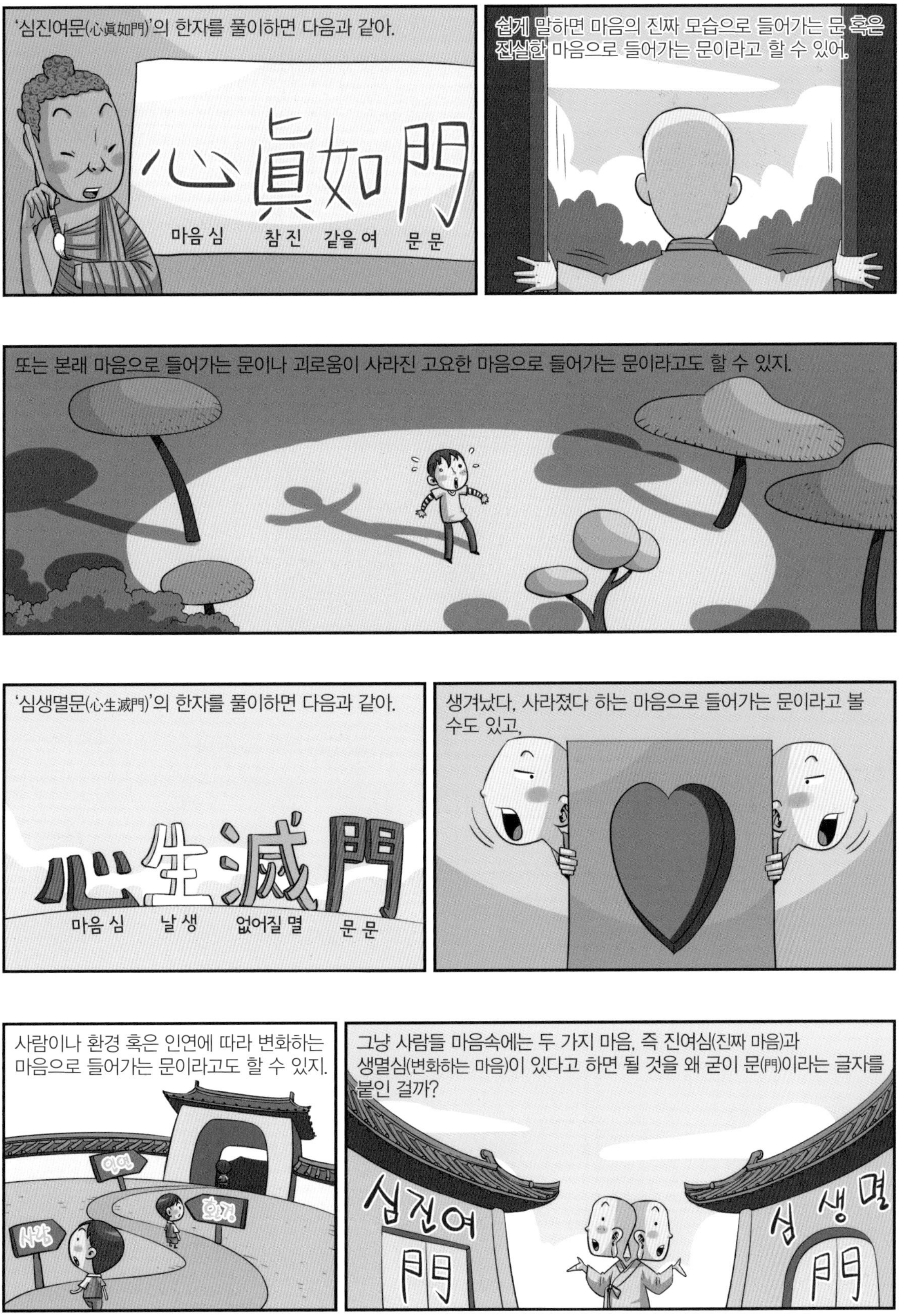
'심진여문(心眞如門)'의 한자를 풀이하면 다음과 같아.
心 眞 如 門
마음 심 참 진 같을 여 문 문
쉽게 말하면 마음의 진짜 모습으로 들어가는 문 혹은 진실한 마음으로 들어가는 문이라고 할 수 있어.
또는 본래 마음으로 들어가는 문이나 괴로움이 사라진 고요한 마음으로 들어가는 문이라고도 할 수 있지.
'심생멸문(心生滅門)'의 한자를 풀이하면 다음과 같아.
心 生 滅 門
마음 심 날 생 없어질 멸 문 문
생겨났다, 사라졌다 하는 마음으로 들어가는 문이라고 볼 수도 있고,
사람이나 환경 혹은 인연에 따라 변화하는 마음으로 들어가는 문이라고도 할 수 있지.
인연
환경
사람
그냥 사람들 마음속에는 두 가지 마음, 즉 진여심(진짜 마음)과 생멸심(변화하는 마음)이 있다고 하면 될 것을 왜 굳이 문(門)이라는 글자를 붙인 걸까?
심진여 門
심생멸 門

이에 대한 답을 찾기 위해서는 먼저 문이 어떤 것인가를 생각해 봐야 해.
문은 사람이 들어가고 나가는 곳이야.
활짝
또 어디로 가는 길이자 통로라고 할 수 있지.
사람은 마음속의 심진여문과 심생멸문을 통해 어디로든 갈 수 있어.
이 문들을 통해 어디로 갈 수 있다는 것일까?
여기가 어디지?
앞에서 설명한, 마명이 《대승기신론》을 지은 이유 기억나니?
대승기신론
첫 번째 이유는 사람들로 하여금 삶과 죽음의 고통에서 벗어나 깨달음의 기쁨을 얻게 하기 위해서였어.
응애!
응애!
...
불교는 부처님을 믿고 의지하며 복을 달라고 비는 종교가 아니야.
부처는 전지전능하지 않잖아~.
전지전능하신 하느님이시여!
저에게 큰 힘을 주시옵소서~.
먼저 깨달은 사람의 가르침을 듣고 스스로 깨닫고자 하는 이들의 종교지.
깨달음의 길
사람들이 부처님의 가르침을 배우고자 하는 것은 깨달음을 얻기 위해서야.
마명은 마음속 두 개의 문을 통해 깨달음을 얻을 수 있다고 보았지.

그런데 깨달음이 무엇인가요? 깨달음을 꼭 얻어야 하나요?
하하. 앞으로 여러 번 설명할 내용이지만 말 나온 김에 간단히 설명해 줄게.
불교에서 말하는 깨달음은 존재하는 모든 것들의 있는 그대로의 모습, 즉 존재의 실상을 아는 거야.
Before
After
깨달음을 얻으면 모든 괴로움에서 벗어날 수 있고, 속박에서 벗어나 자유로운 삶을 살 수 있어.
슈우웅
으아아아악
괴로움
괴로움은 본래부터 존재하는 것이 아니야.
괴로움
존재 그대로의 모습을 알지 못해서 생겨난 것에 불과하지.
존재
저는 지금 행복해요. 몸도 건강하고, 함께 있으면 시간 가는 줄 모르는 친구도 있어요.
제 부모님은 경제적 능력도 있고, 항상 저를 따뜻하게 보살펴 주세요.

또 저는 기자가 되기 위해 공부도 열심히 하고, 다양한 분야의 책도 읽고 있어요.
기자
꾸벅 꾸벅
이처럼 우리는 지금 행복해요. 그런데도 깨달음을 얻어야 하는 건가요?
긁적 긁적
그래? 그럼 몇 가지 물어볼게.
지금 옆에 있는 좋은 친구는 항상 좋은 친구니?
글쎄요.
뭐라고?
또 너는 늘 건강하고 부모님은 언제까지나 네 곁에 계실까?
아니요.
흥
그럼 네 꿈은 생각대로 이루어질까?
몰라요.
인간이라면 누구나 죽음을 피할 수 없어.
아이고~ 삭신이야!
육체를 가진 인간은 모두 병들고 늙어.
극락왕생 하소서.
과학이 발달한 오늘날에도 인간은 단지 수명이 늘었을 뿐 영원히 살 수는 없어.
앗싸! 더 살 수 있다!
100살
수명연장
살다 보면 친구와 헤어져야 하고 사랑하는 부모님도 세상을 떠날 거야.
잘 가~
흑흑

정도의 차이는 있지만 사람은 누구나 괴로움에서 벗어나지 못해.
허우적
허우적
또 지금은 기쁜 일도 시간이 지나면 바뀔 수 있어.
아기가 태어났을 때 기뻐했던 부모님도 자녀가 속을 썩이면 힘들어해.
서로 죽도록 사랑해 결혼해 놓고 원수처럼 싸우기도 하지.
돈도 못 벌어 오는 한량!
뭐이?
보자 보자 하니 보재기로 보이냐?
사람들은 순간적인 몇몇 기쁨에 빠져 근원적인 괴로움에서 빠져나올 생각을 하지 못해.
그래도 애기 때는 귀여웠지.
그래도 결혼 때는 좋았지.
괴로움을 뼈저리게 느껴야 거기에서 벗어날 계기를 얻을 수 있는데 그러지 못하는 거야.
뭐 이런 걸로 괴로워하고 그래~.
돈 열심히 벌어다 줘야지!
그것은 인생이 괴로운 것이라는 사실을 잘 인식하지 못해서 그래.
내가 너무 둔한가?
사람들은 암에 걸리거나 사업에 실패하거나 혹은 친구들에게 따돌림을 받는 등 극단적인 고통을 겪어야 비로소 인생이 괴롭다는 것을 깨달아.
괴롭다.
인생은 괴로움의 연속이네.
그러면서도 다람쥐 쳇바퀴 돌듯 고통의 바다에서 괴로움에 시달리며 살아가지.
고마아 살려 줘~!
허우적
허우적

그러나 사람들은 괴로움이 무엇인지
인생 뭐 있어?
그냥 가는 거야~.
딸꾹
괴로움이 왜 생기는지 잘 몰라.
그걸 우리가 어떻게 알아?
알면 이렇게 있지도 않지.
존재의 실제 모습을 있는 그대로 봐야만 이런 괴로움에서 벗어날 수 있어.
백야! 넌 누구야?
난 그냥 빵이야.
푸슈슈
그래서 마명은 사람들에게 부처님이 가르쳐 준 깨달음의 길을 알려 주기 위해 《대승기신론》을 쓰고, 그 안에 깨달음으로 들어가는 심진여문과 심생멸문을 소개한 거야.
대승기신론
깨달음은
바로 여기로!
심진여문
심생멸문
이 두 개의 문은 서로 독립된 것이 아니야.
심진여문
심생멸문
문이 두 개면 당연히 독립적이어야 하지 않아?
심진여문
심생멸문
좀 이해하기 어렵지?
문이 붙어 있는 거 아니야?
그럼 예를 들어 볼게. 옛날에는 주로 흙으로 그릇을 만들었어.
흙을 빚어 밥그릇과 국그릇, 술 항아리, 술잔 등을 만들었지.
그렇다면 그 그릇들은 모두 같은 것일까? 당연히 달라.
또 같은 거라고 얘기하는 줄 알았네~.

단지 흙으로 만들었다는 공통점이 있을 뿐이야.
흙과 그릇은 달라. 각각의 그릇은 저마다의 모양과 용도를 가지고 있지.
그렇지만 완전히 다르다거나 독립되어 있다고 말할 수도 없어.
그렇네. 원료는 흙이니까.
심진여문과 심생멸문의 관계가 바로 그래.
아하!
심진여문이 흙이라면 심생멸문은 각각의 그릇이라고 할 수 있어.
같은 흙으로 만들었다는 말이지~
심진여문
심생멸문
심진여문은 무엇일까?
심진여문
흙이 여러 가지 그릇으로 변화하는 것처럼 마음속 진여(심진여), 즉 본래 마음도 다양한 마음으로 나타나.
후우~
진여는 모든 현상의 근원이라고 할 수 있어.
펑
진여
금반지와 금목걸이는 모양과 쓰임새가 다르지만 모두 금으로 이루어져 있어.
반짝
반짝
이처럼 모든 것은 진여, 즉 있는 그대로의 본래 마음을 가지고 있어.

진여는 생겨난 적도, 또 사라진 적도 없이 존재의 본질로 있어.
진여
존재
깨달음을 얻지 못한 사람이 진여를 알기란 매우 어려워.
나도 깨달음 얻고 싶다~.
깨달음
깨달음을 얻은 사람만이 깨달음을 얻은 후 존재의 모습을 보고 알게 되기 때문이야.
펑
뭔 소리지?
말로 설명하거나 생각으로 미루어 깨닫지 못한 사람을 이해시키는 것은 매우 힘든 일이야.
음~ 이런 낭패가….
악!
머리에 쥐가 나려고 해~.
진여는 오직 고되고 오랜 수행을 통해 얻을 수 있기 때문이지.
진여는 생겨난 적이 없기 때문에
진여
'공하다.'라고 말해.
空 공
사람들은 보통 공하다고 하면 텅 비어 있어 아무것도 없다는 뜻으로 오해해.
그러고 보니 배고프다.
꼬르륵
꼬르륵
뭐야?
그러나 그것은 공을 잘못 이해한 거야.
기껏 설명하는데
이러고 어째?
공을 잘못 이해하면 허무주의에 쉽게 빠질 수 있어.
공수래 공수거~.
그것은 공의 참뜻이 아닌데 말야.
뭐? 아니라고?
벌떡

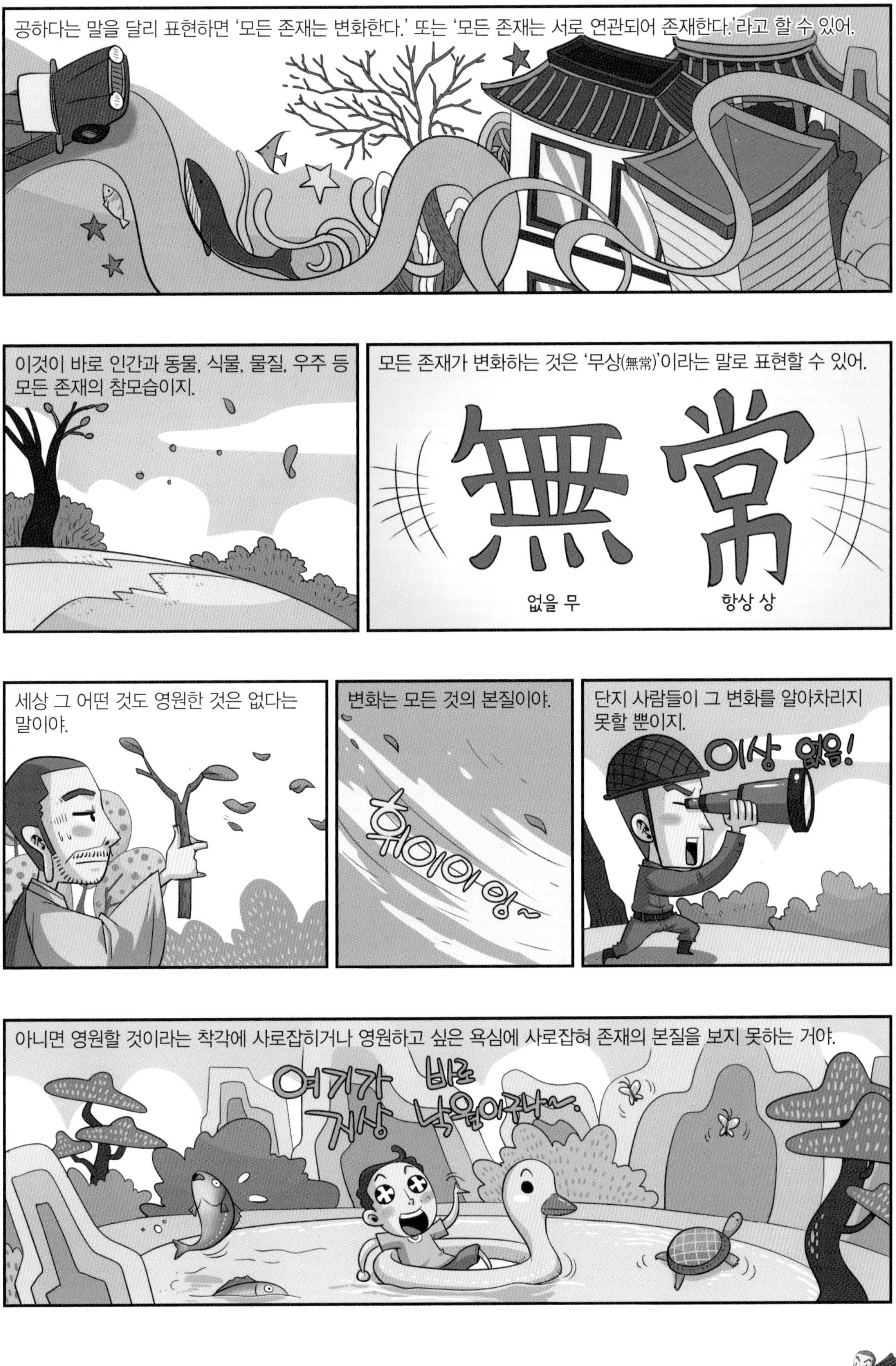
공하다는 말을 달리 표현하면 '모든 존재는 변화한다.' 또는 '모든 존재는 서로 연관되어 존재한다.'라고 할 수 있어.
이것이 바로 인간과 동물, 식물, 물질, 우주 등 모든 존재의 참모습이지.
모든 존재가 변화하는 것은 '무상(無常)'이라는 말로 표현할 수 있어.
無 常
없을 무
항상 상
세상 그 어떤 것도 영원한 것은 없다는 말이야.
변화는 모든 것의 본질이야.
휘이이잉~
단지 사람들이 그 변화를 알아차리지 못할 뿐이지.
이상 없음!
아니면 영원할 것이라는 착각에 사로잡히거나 영원하고 싶은 욕심에 사로잡혀 존재의 본질을 보지 못하는 거야.
여기가 바로 지상 낙원이구나~.

휴대 전화도 오래 사용하면 낡고, 사람의 몸이나 지구도 변하잖아?
에구구….
사람의 몸은 죽은 세포를 대체하기 위해 1분마다 약 3억 개의 세포를 새로 만들어 낸다고 해.
헉! 3억 개?
매일 피 속에 일정한 양의 세포가 새로 생겨나 두 달마다 우리 몸은 새로운 피로 채워지지.
흠. 신선한 피를 두 달에 한 번씩!
하루살이 입장에서 보면 하루는 영원하지만 인간에게는 그렇지 않아.
하루라도 헛되이 보내서는 안 되겠다!
모든 존재가 서로 연관되어 존재하는 것을 '무아(無我)'라고 표현해.
無 我
어떤 것도 '나다.'라고 할 만한 것이 없다는 것이지.
나는 없다! 고로 '나다'라고 할 만한 게 없다는 얘기야!
세상의 모든 존재는 단독으로 존재하지 않아.
스마트 폰을 예로 들어 볼까?
스마트 폰은 수많은 부품들의 조합으로 이루어져 있어.
또한 그것을 만든 사람의 생각과 여러 가지 프로그램이 융합되어 존재하지.
심플하게 아름답게….

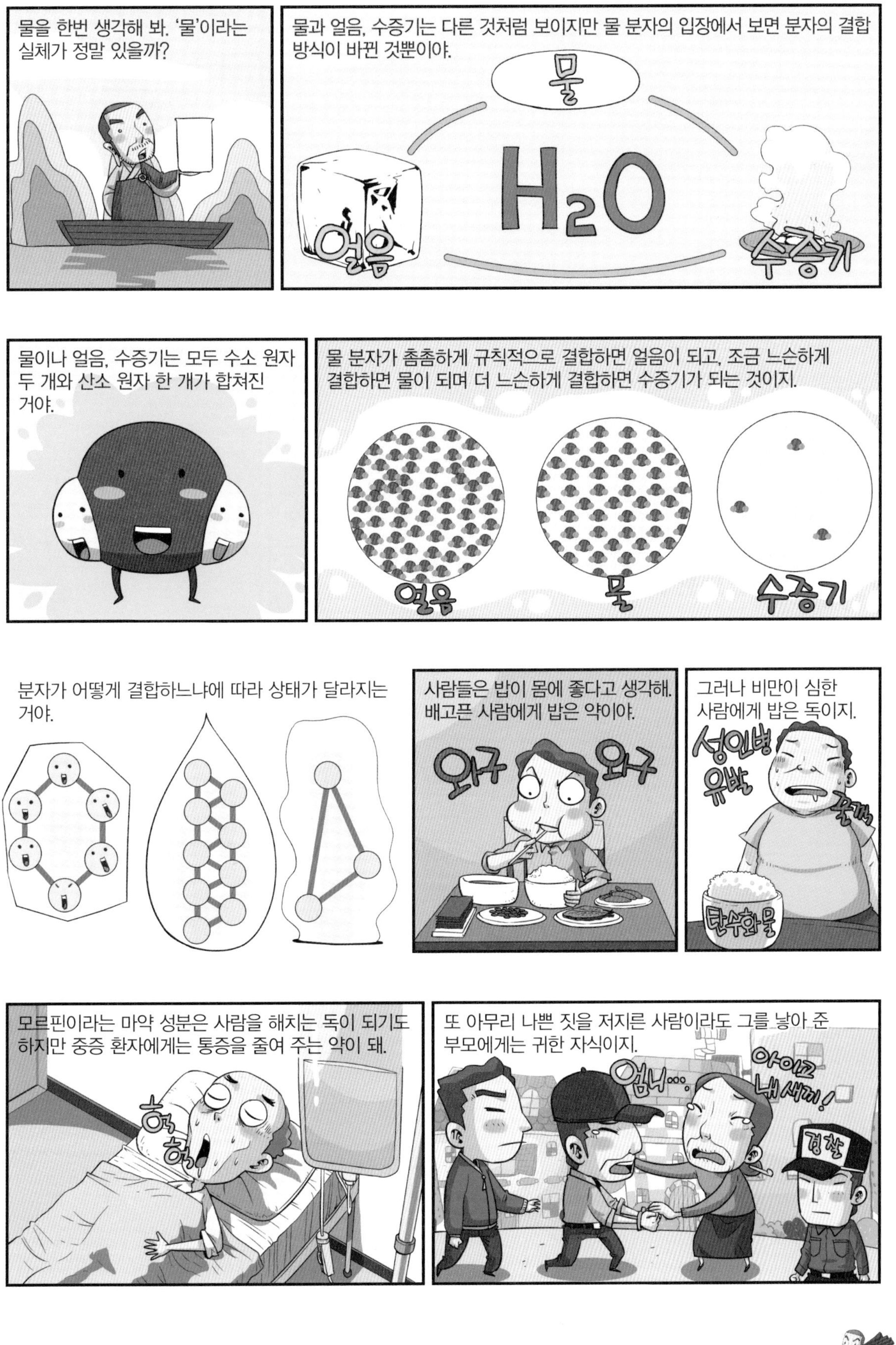

물을 한번 생각해 봐. '물'이라는 실체가 정말 있을까?
물과 얼음, 수증기는 다른 것처럼 보이지만 물 분자의 입장에서 보면 분자의 결합 방식이 바뀐 것뿐이야.
물
H2O
얼음
수증기
물이나 얼음, 수증기는 모두 수소 원자 두 개와 산소 원자 한 개가 합쳐진 거야.
물 분자가 촘촘하게 규칙적으로 결합하면 얼음이 되고, 조금 느슨하게 결합하면 물이 되며 더 느슨하게 결합하면 수증기가 되는 것이지.
얼음
물
수증기
분자가 어떻게 결합하느냐에 따라 상태가 달라지는 거야.
사람들은 밥이 몸에 좋다고 생각해. 배고픈 사람에게 밥은 약이야.
와구 와구
그러나 비만이 심한 사람에게 밥은 독이지.
성인병 유발
탄수화물
모르핀이라는 마약 성분은 사람을 해치는 독이 되기도 하지만 중증 환자에게는 통증을 줄여 주는 약이 돼.
헉 헉
또 아무리 나쁜 짓을 저지른 사람이라도 그를 낳아 준 부모에게는 귀한 자식이지.
엄니…
아이고 내 새끼!
경찰

이처럼 모든 존재는 고정된 실체가 없고 모두 연결되어 있어.
어떻게 존재하느냐에 따라 좋기도 하고 나쁘기도 하지.
어떤 것과의 연관 속에서 파악되는 것이 진여의 참모습인 거야.
진여
그러나 사람들은 잘못된 생각, 즉 *망념에 싸여 존재의 참모습을 보지 못해.
망념
음…
그러면서 옳고 그름을 주장하는 거야.
당연히 사람마다 다르니까 그렇지.
좋고 나쁨과 착하고 악함을 구분하고 차별할 뿐이지.
자신들의 말이 정답인 것처럼 말이지.

* 망념(妄念): 이치에 맞지 않은 망령된 생각.

진여는 깨끗한 거울에 비유할 수 있어.
반짝
진여
깨끗한 거울은 어떤 모습이든 있는 그대로를 비춰.
악! 눈부셔~!
마음에 들지 않는 부분을 없애거나 바꿔 비추지 않지.
거울아! 거울아! 이 세상에서 누가 제일 예쁘니?
바보…
깨끗한 거울에 얼룩이 많이 묻어 있다고 생각해 봐.
이 정도?
보통 얼룩이 아니라, 엄청난 얼룩이 묻어 있어.
알았어! 이 정도면 되지?
얼룩에 따라 어떤 부분은 보이지 않거나 찌그러져 보일 거야.
이게 무슨 거울이야?

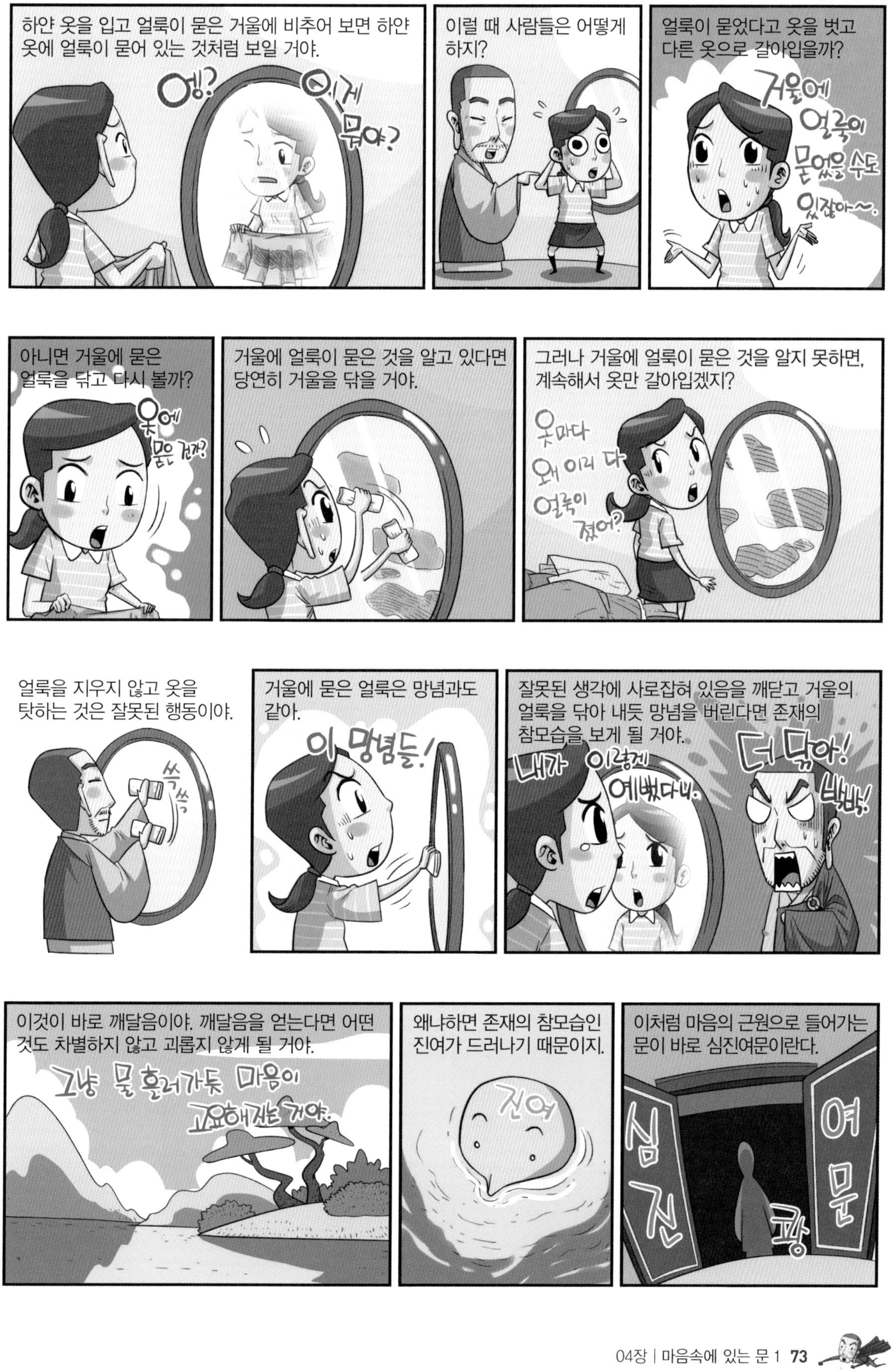

하얀 옷을 입고 얼룩이 묻은 거울에 비추어 보면 하얀 옷에 얼룩이 묻어 있는 것처럼 보일 거야.
엥?
이게 뭐야?
이럴 때 사람들은 어떻게 하지?
얼룩이 묻었다고 옷을 벗고 다른 옷으로 갈아입을까?
거울에 얼룩이 묻었을 수도 있잖아~.
아니면 거울에 묻은 얼룩을 닦고 다시 볼까?
옷에 묻은 건가?
거울에 얼룩이 묻은 것을 알고 있다면 당연히 거울을 닦을 거야.
그러나 거울에 얼룩이 묻은 것을 알지 못하면, 계속해서 옷만 갈아입겠지?
옷마다 왜 이리 다 얼룩이 졌어?
얼룩을 지우지 않고 옷을 탓하는 것은 잘못된 행동이야.
쓱쓱
거울에 묻은 얼룩은 망념과도 같아.
이 망념들!
잘못된 생각에 사로잡혀 있음을 깨닫고 거울의 얼룩을 닦아 내듯 망념을 버린다면 존재의 참모습을 보게 될 거야.
내가 이렇게 예뻤다니.
더 닦아!
박박!
이것이 바로 깨달음이야. 깨달음을 얻는다면 어떤 것도 차별하지 않고 괴롭지 않게 될 거야.
그냥 물 흘러가듯 마음이 고요해지는 거야.
왜냐하면 존재의 참모습인 진여가 드러나기 때문이지.
진여
이처럼 마음의 근원으로 들어가는 문이 바로 심진여문이란다.
심진
여문
쾅

5장

마음속에 있는 문 2

— 심생멸문(心生滅門)

우리의 마음은 항상 변해.

어떤 마음이 생겨났다가 사라지고 다시 생겨나기를 반복하지.

이러한 마음을 '생멸심(生滅心)'이라고 해.
生
滅
心

마음이 생겨나고 사라지는 것을 잘 관찰하면, 마음의 본래 모습을 알게 되어 깨달음을 얻을 수 있어.
생
멸
심

생멸하는 마음을 통해 깨달음으로 들어간다고 해서 생멸심을 심생멸문이라고도 해.
심생
멸문

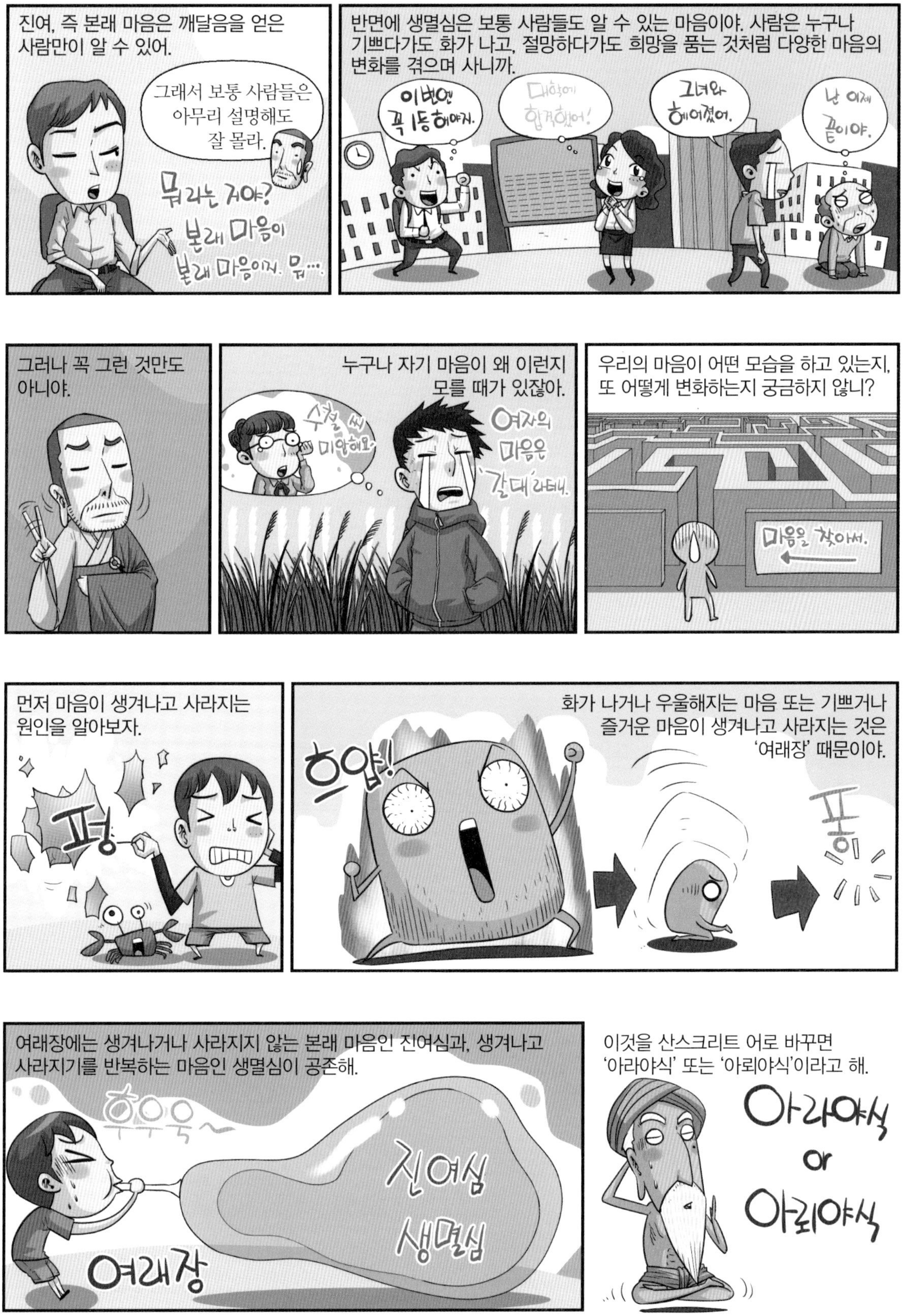
진여, 즉 본래 마음은 깨달음을 얻은 사람만이 알 수 있어.
그래서 보통 사람들은 아무리 설명해도 잘 몰라.
뭐라는 거야? 본래 마음이 본래 마음이지. 뭐….
반면에 생멸심은 보통 사람들도 알 수 있는 마음이야. 사람은 누구나 기쁘다가도 화가 나고, 절망하다가도 희망을 품는 것처럼 다양한 마음의 변화를 겪으며 사니까.
이번엔 꼭 1등 해야지.
대학에 합격했어!
그녀와 헤어졌어.
난 이제 끝이야.
그러나 꼭 그런 것만도 아니야.
누구나 자기 마음이 왜 이런지 모를 때가 있잖아.
수철 씨 미안해요.
여자의 마음은 '갈대'라더니.
우리의 마음이 어떤 모습을 하고 있는지, 또 어떻게 변화하는지 궁금하지 않니?
마음을 찾아서.
먼저 마음이 생겨나고 사라지는 원인을 알아보자.
펑
화가 나거나 우울해지는 마음 또는 기쁘거나 즐거운 마음이 생겨나고 사라지는 것은 '여래장' 때문이야.
흐압!
퐁
여래장에는 생겨나거나 사라지지 않는 본래 마음인 진여심과, 생겨나고 사라지기를 반복하는 마음인 생멸심이 공존해.
후우욱~
진여심
생멸심
여래장
이것을 산스크리트 어로 바꾸면 '아라야식' 또는 '아뢰야식'이라고 해.
아라야식
or
아뢰야식

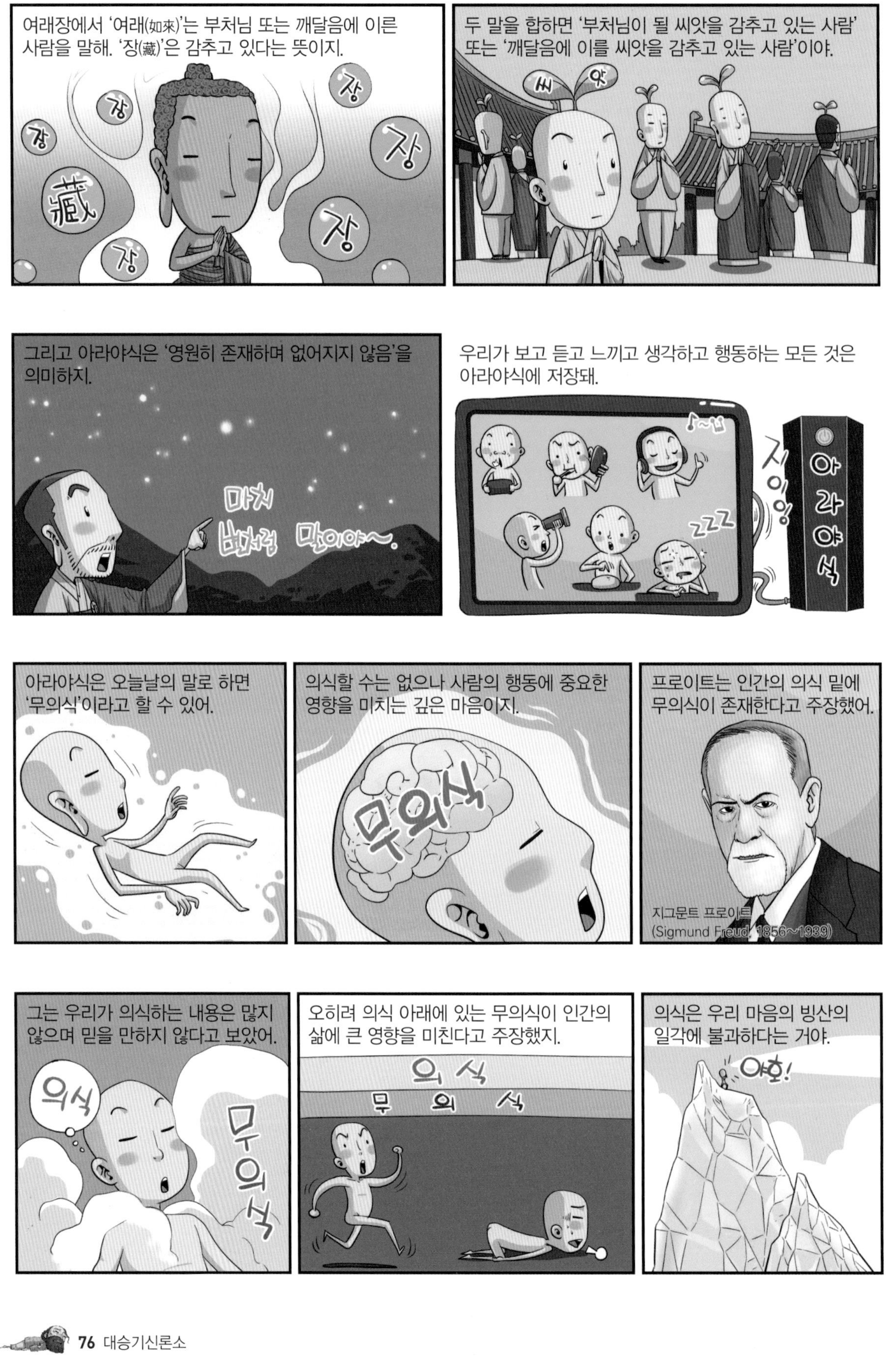
여래장에서 '여래(如來)'는 부처님 또는 깨달음에 이른 사람을 말해. '장(藏)'은 감추고 있다는 뜻이지.
장
藏
두 말을 합하면 '부처님이 될 씨앗을 감추고 있는 사람' 또는 '깨달음에 이를 씨앗을 감추고 있는 사람'이야.
씨 앗
그리고 아라야식은 '영원히 존재하며 없어지지 않음'을 의미하지.
마치 별처럼 말이야~.
우리가 보고 듣고 느끼고 생각하고 행동하는 모든 것은 아라야식에 저장돼.
지이잉
아라야식
ZZZ
아라야식은 오늘날의 말로 하면 '무의식'이라고 할 수 있어.
의식할 수는 없으나 사람의 행동에 중요한 영향을 미치는 깊은 마음이지.
무의식
프로이트는 인간의 의식 밑에 무의식이 존재한다고 주장했어.
지그문트 프로이트
(Sigmund Freud, 1856~1939)
그는 우리가 의식하는 내용은 많지 않으며 믿을 만하지 않다고 보았어.
의식
무의식
오히려 의식 아래에 있는 무의식이 인간의 삶에 큰 영향을 미친다고 주장했지.
의식
무의식
의식은 우리 마음의 빙산의 일각에 불과하다는 거야.
야호!

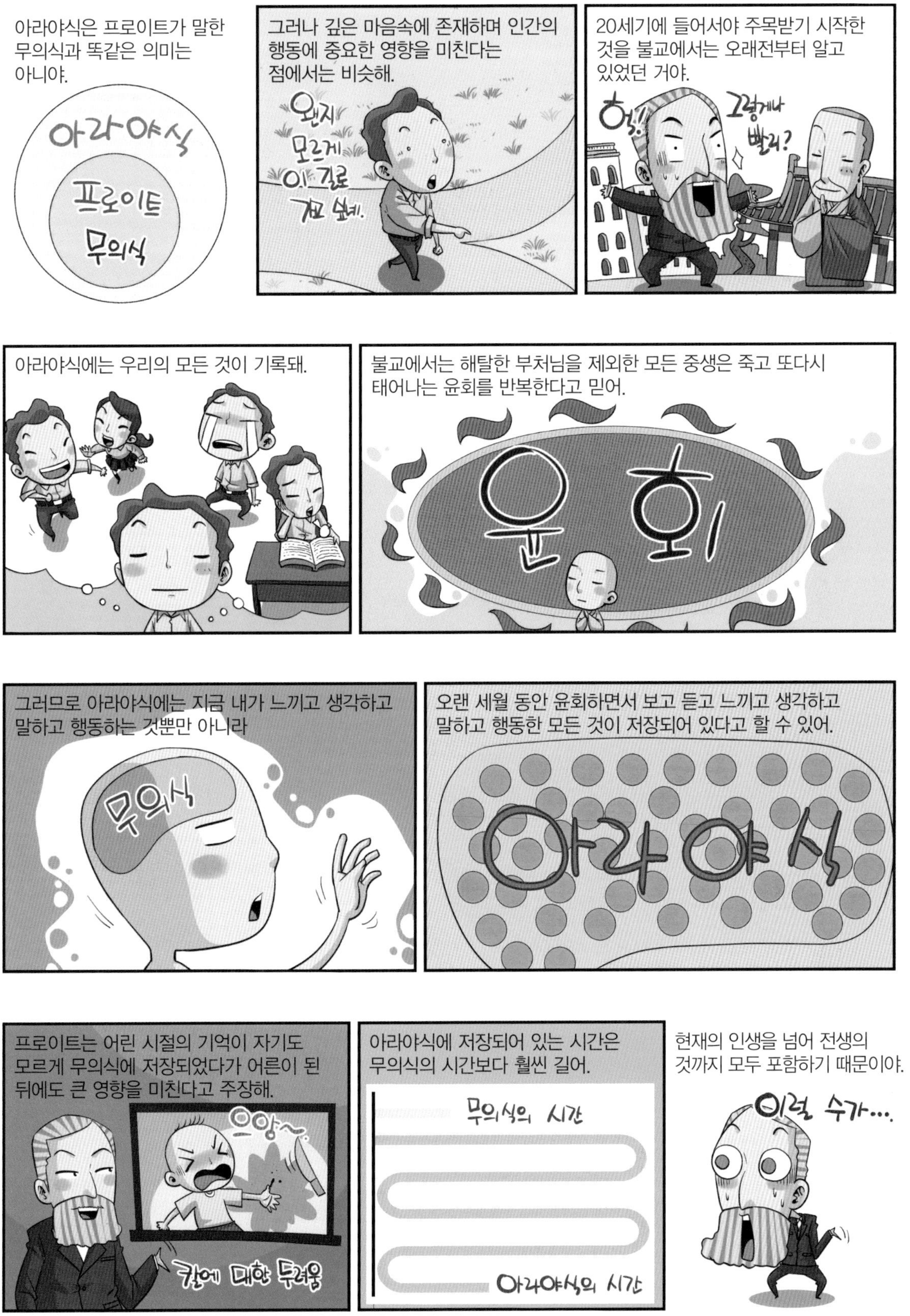
아라야식은 프로이트가 말한 무의식과 똑같은 의미는 아니야.
아라야식
프로이트 무의식
그러나 깊은 마음속에 존재하며 인간의 행동에 중요한 영향을 미친다는 점에서는 비슷해.
왠지 모르게 이 길로 가고 싶네.
20세기에 들어서야 주목받기 시작한 것을 불교에서는 오래전부터 알고 있었던 거야.
헉!!
그렇게나 빨리?
아라야식에는 우리의 모든 것이 기록돼.
불교에서는 해탈한 부처님을 제외한 모든 중생은 죽고 또다시 태어나는 윤회를 반복한다고 믿어.
윤회
그러므로 아라야식에는 지금 내가 느끼고 생각하고 말하고 행동하는 것뿐만 아니라
무의식
오랜 세월 동안 윤회하면서 보고 듣고 느끼고 생각하고 말하고 행동한 모든 것이 저장되어 있다고 할 수 있어.
아라야식
프로이트는 어린 시절의 기억이 자기도 모르게 무의식에 저장되었다가 어른이 된 뒤에도 큰 영향을 미친다고 주장해.
으앙~
칼에 대한 두려움
아라야식에 저장되어 있는 시간은 무의식의 시간보다 훨씬 길어.
무의식의 시간
아라야식의 시간
현재의 인생을 넘어 전생의 것까지 모두 포함하기 때문이야.
이럴 수가….

아라야식에는 모든 것이 저장되어 씨앗으로 존재해.
아라야식
그러다가 조건에 맞으면 씨앗이 싹트고 열매를 맺지.
씨앗은 어떻게 작용하느냐에 따라 모습이 달라져.
바로 깨달은 모습과 깨닫지 못한 모습으로 달라지지.
먼저 깨달은 모습인 '각(覺)'에 대해 설명해 줄게.
우리는 앞에서 깨달음이란 모든 존재의 참모습을 아는 것이라고 배웠어.
깨달음
또 모든 존재의 참모습은 공이고 무상이며 무아라고 배웠지.
무상
공
무아
이는 모든 존재 중에는 '나'라고 할 만한 것이 없고 서로 연관되어 존재하며 모두 변화한다는 뜻이야.
깨달음의 상태는 없던 것이 새로 생겨나는 것이 아니야.
삐악
삐악
삐악
망념이 사라지면 저절로 나타나는 마음의 상태지.
망념
깨달음
본래 우리의 마음에는 존재의 참모습을 볼 수 있는 눈이 있어. 다만 잘못된 생각에 가려져 보지 못할 뿐.
참모습
잘못된 생각
그러므로 잘못된 생각이 사라지면 저절로 모든 존재의 참모습을 볼 수 있게 돼.

원래 '나'라고 할 만한 것이나 '너'라고 할 만한 것이 없으며
난 누구고,
넌 누구야?
모두 연관되어 존재할 뿐이라는 것을 알게 되지.
난 영진이 넌 내 친구.
이 사실을 깨달으면 모든 것은 완전히 같고, 평등하다는 것도 알게 돼.
고로 너와 난 평등한 거야, OK?
뭔 소리를 하는 건지.
불교에서는 이런 상태에 있는 사람을 '깨달음을 얻은 사람'이라고 해.
오올
대부분의 사람은 타인을 구별하고 차별해.
뭘 봐?
또마니
뚜뚜뚜뚜….
여자와 남자, 흑인과 백인, 장애인과 정상인, 가난한 사람과 부자 등 사람을 구별하고 차별하지.
남자가 없으면 여자가 있을까? 백인이 없으면 흑인이 있을까?
남자가 있기에 여자가 있고 백인이 있기에 흑인이 있는 거지.
또 모두가 앞을 보지 못한다면 눈이 보이지 않는 사람을 시각 장애인이라고 부를까?
쿵
가난한 사람이 있으니 부자도 있고 2등이 있으니 1등도 있는 거야.
A급
B급
불교에서는 사람을 구별하거나 차별하지 않아.
평등
그렇게 구분 짓고 차별하는 것은 마음에 문제가 있기 때문이라고 여기지.
급도 안 되는 것들이….
어이 없어~.
마음이 잘못된 생각을 벗으면 문제될 것이 없는 거야.
저들도 다 같은 인간이야~.
망령
친구야~.

깨달은 마음으로 세상을 보면 성별, 인종, 재산, 성적, 종교 등을 이유로 사람을 나누고 차별할 이유가 없어.
온 우주와 하나가 될 뿐이지.
사라락
사람은 누구나 깨달음의 씨앗을 가지고 있어.
본래 깨달은 상태, 즉 본각(本覺)의 상태에 있지.
그러나 대부분의 사람은 망념에 갇혀 깨닫지 못한 상태인 불각(不覺)의 상태로 살고 있어.
깨닫지 못한 상태로 사는 삶은 괴로워.
으~
그래서 사람들은 괴로움에서 벗어나기 위해 부단한 노력들을 하지.
오체투지
그러면 차츰 깨달음을 얻기 시작해. 이를 시각(始覺)이라고 해.
시각
불교에서는 깨달음을 본각, 시각, 불각으로 구분해.
본각
시각
불각
사실 본각, 시각, 불각은 따로 말할 수 있는 것이 아니야.
만약 깨닫지 못한 상태인 불각이 없다면 깨달음을 얻기 시작하는 시각도 없기 때문이지.
활짝

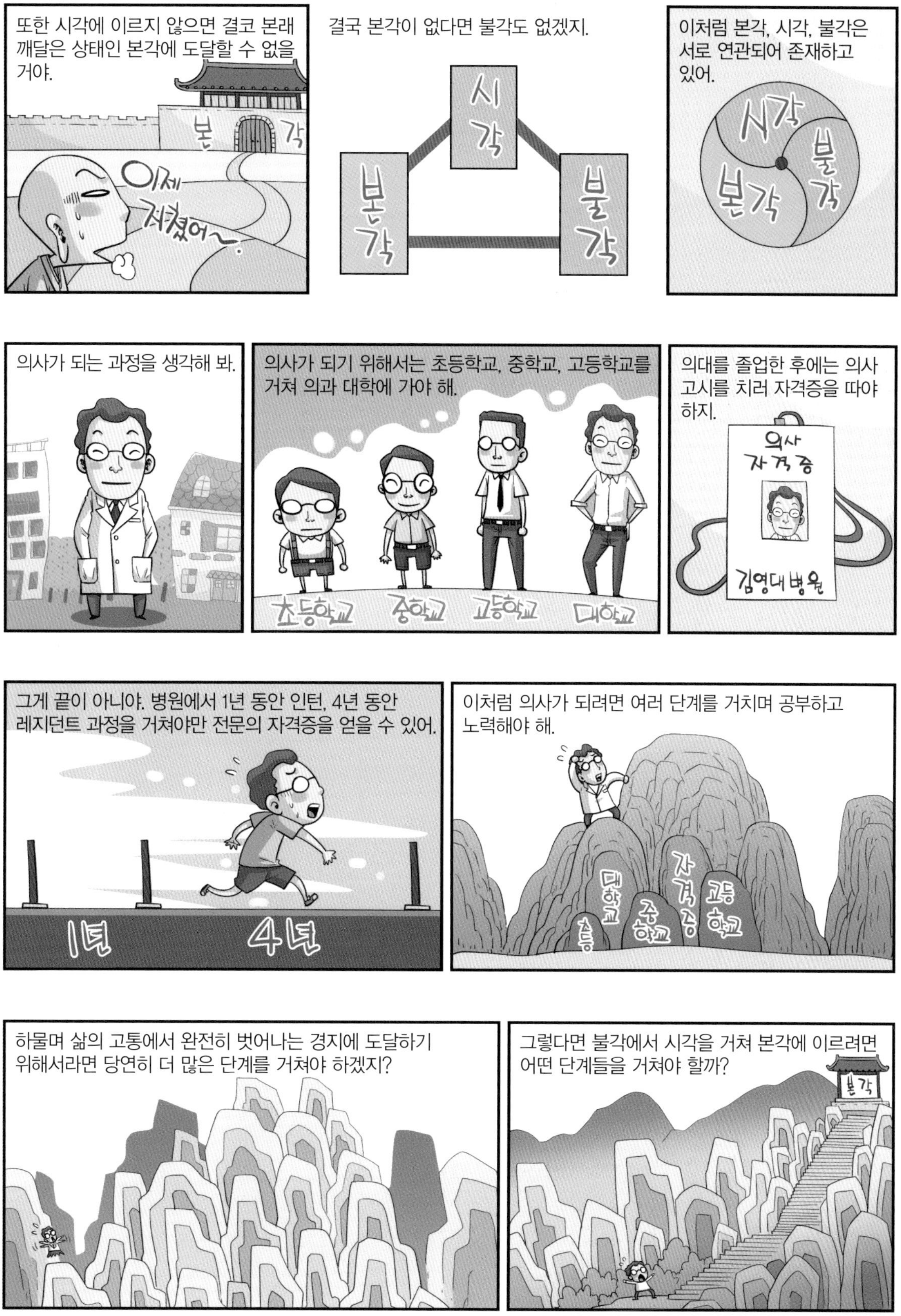

또한 시각에 이르지 않으면 결코 본래 깨달은 상태인 본각에 도달할 수 없을 거야.
본각
이제 지쳤어~.
결국 본각이 없다면 불각도 없겠지.
시각
본각
불각
이처럼 본각, 시각, 불각은 서로 연관되어 존재하고 있어.
시각
불각
본각
의사가 되는 과정을 생각해 봐.
의사가 되기 위해서는 초등학교, 중학교, 고등학교를 거쳐 의과 대학에 가야 해.
초등학교
중학교
고등학교
대학교
의대를 졸업한 후에는 의사 고시를 치러 자격증을 따야 하지.
의사 자격증
김영대병원
그게 끝이 아니야. 병원에서 1년 동안 인턴, 4년 동안 레지던트 과정을 거쳐야만 전문의 자격증을 얻을 수 있어.
1년
4년
이처럼 의사가 되려면 여러 단계를 거치며 공부하고 노력해야 해.
대학교
자격증
고등학교
중학교
초등
하물며 삶의 고통에서 완전히 벗어나는 경지에 도달하기 위해서라면 당연히 더 많은 단계를 거쳐야 하겠지?
그렇다면 불각에서 시각을 거쳐 본각에 이르려면 어떤 단계들을 거쳐야 할까?
본각

《화엄경》에서는 부처님의 가르침을 믿어 의심하지 않는 10단계를 십신(十信)으로 나눴어.
화엄경
十信(십신)
그리고 마음이 편안하게 머무는 10단계를 십주(十住)로 나눴지.
십주(十住)
또 다른 사람에게 이익이 되는 행동을 하기 위한 노력의 10단계는 십행(十行)으로,
십행(十行)
남에게 이익이 되는 행동을 중생에게 돌려주는 10단계는 십회향(十廻向)으로,
십회향(十廻向)
고맙습니다!
대지와 같이 중생을 키우고 이익을 주는 10단계는 십지(十地)로 나눴어.
십지(十地)
앞에서 말한 50개의 단계에다가 지혜가 부처님과 거의 같은 단계인 등각(等覺)과 부처님의 경지인 묘각(妙覺)까지 합하면 모두 52개의 단계야.
52단계?
이 52개 단계를 거치면 부처님이 될 수 있다고 해.
안 해! 안 해!
그런데 《대승기신론》에서는 이 52개의 단계를 4개의 단계로 확 줄였어.
4단계
이를 알기 위해서는 먼저 마음의 구조를 이해해야 해.
마음의 소리는 아는데….
마음의 모습에 대해 사람들은 여러 가지 주장을 해.
마음은 말이야 그런 게 아니야~.
내 마음이 맞아!
마음은 볼 수 없기 때문에 어떤 모습인지 정확하게 말하기 어려워.
《대승기신론》에서는 마음을 여덟 개의 식(識)으로 분류해 설명해.
마음의 깊이에 따라서 여덟 개의 식이 존재하지.
1 2 3 4 5 6 7 8

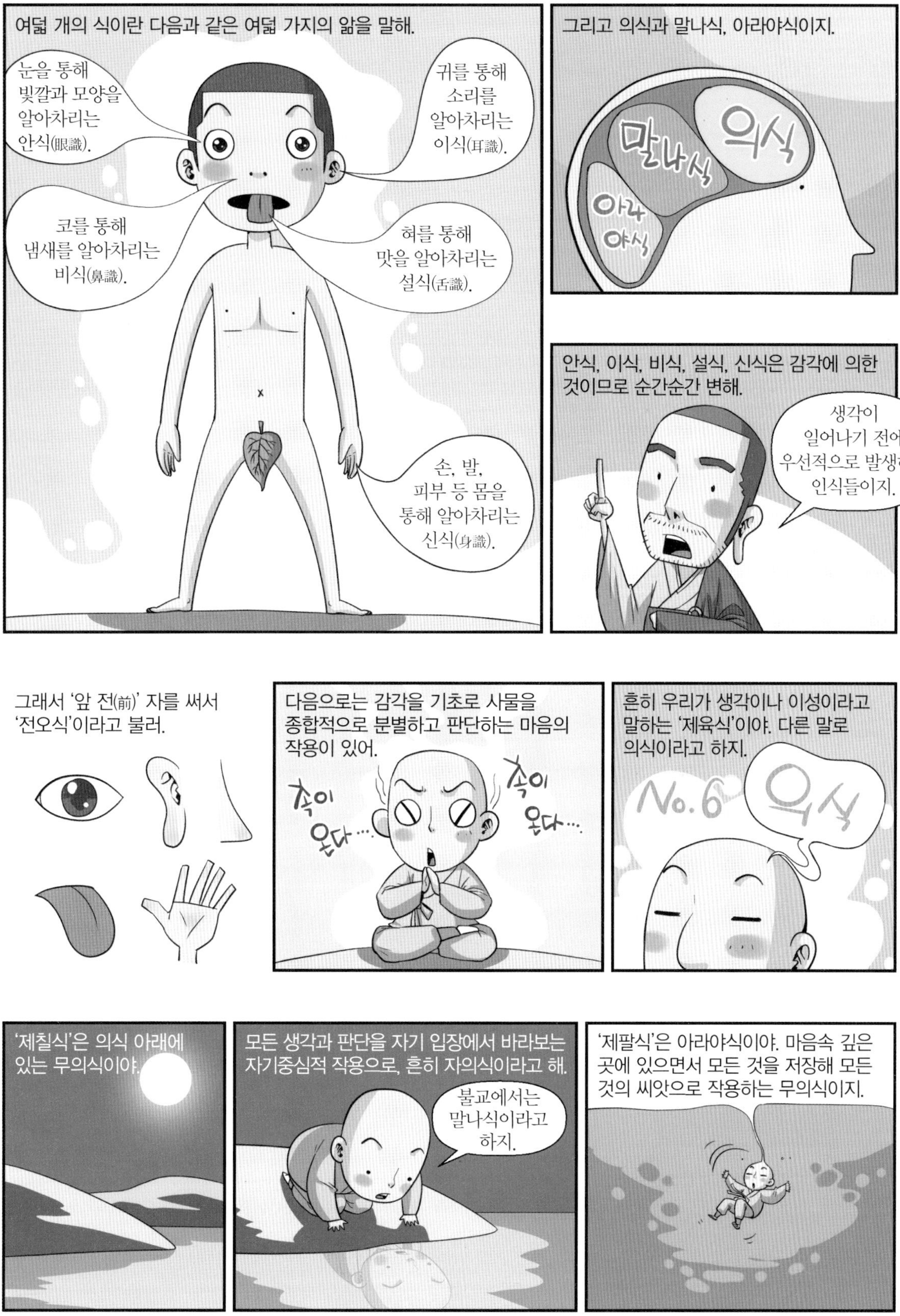
여덟 개의 식이란 다음과 같은 여덟 가지의 앎을 말해.
눈을 통해 빛깔과 모양을 알아차리는 안식(眼識).
귀를 통해 소리를 알아차리는 이식(耳識).
코를 통해 냄새를 알아차리는 비식(鼻識).
혀를 통해 맛을 알아차리는 설식(舌識).
손, 발, 피부 등 몸을 통해 알아차리는 신식(身識).
그리고 의식과 말나식, 아라야식이지.
말나식
의식
아라야식
안식, 이식, 비식, 설식, 신식은 감각에 의한 것이므로 순간순간 변해.
생각이 일어나기 전에 우선적으로 발생하는 인식들이지.
그래서 '앞 전(前)' 자를 써서 '전오식'이라고 불러.
다음으로는 감각을 기초로 사물을 종합적으로 분별하고 판단하는 마음의 작용이 있어.
속이 온다….
속이 온다….
흔히 우리가 생각이나 이성이라고 말하는 '제육식'이야. 다른 말로 의식이라고 하지.
No.6
의식
'제칠식'은 의식 아래에 있는 무의식이야.
모든 생각과 판단을 자기 입장에서 바라보는 자기중심적 작용으로, 흔히 자의식이라고 해.
불교에서는 말나식이라고 하지.
'제팔식'은 아라야식이야. 마음속 깊은 곳에 있으면서 모든 것을 저장해 모든 것의 씨앗으로 작용하는 무의식이지.

이제 깨달음의 1단계부터 알아볼까?
1단계
깨달음
깨달음의 1단계는 잘못된 말과 행동을 깨닫고 다시는 그와 같이 하지 않는 단계를 말해.
자기반성을 할 줄 알아야지.
덜덜덜
깨달음의 1단계에 해당하는 것으로는 다음과 같은 것들이 있어.
잉? 이게 무슨 그림자지?
*살생과 도둑질을 그만두는 것,
살생 도둑질 No!
삐~
나쁜 인간관계를 만드는 것과 몸으로 하는 나쁜 행동을 그만두는 것,
나쁜 친구 No!
거짓말과 이중적으로 꾸며 하는 말, 남을 성나게 하는 말
거짓말 No!
그리고 악담이나 이간질처럼 나쁜 말을 그만두는 것 등이야.
그딴 거 개나 줘 버려!
폭언 No!
깨갱

* 살생(殺生): 생물을 죽이는 일.

나쁜 말과 나쁜 행동은 다른 사람에게 피해를 줘.
그러나 조금만 깊이 생각하면 이런 말과 행동으로 가장 피해를 입는 것은 결국 자신이야.
저런 놈은 상종을 하지 마!
슬슬
이 사실을 마음 깊이 깨달은 사람은 스스로 그와 같은 행위를 그만둘 수 있어.
착하게 살아야지.
이 단계를 보통 사람의 깨달음이라고 해서 '범부각(凡夫覺)'이라고 해.
범부각
깨달음 1단계
잘못된 생각이 일어났던 상태에서는 깨닫지 못한다고 해서 불각(不覺)이라고도 하지.
나무 아미타불
불쌍한 중생…
범부각에 이른 사람의 모습은 어떨까?

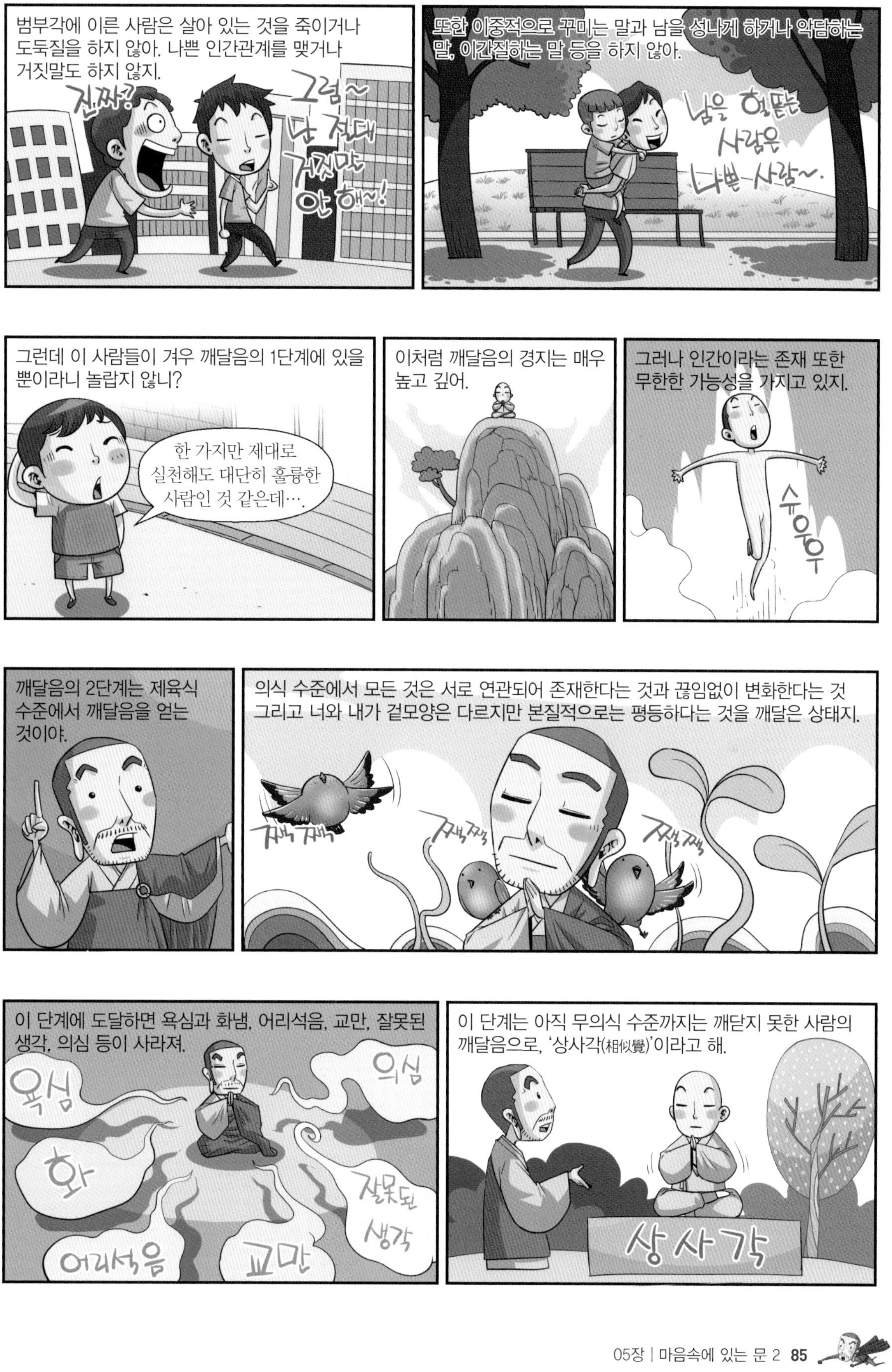
범부각에 이른 사람은 살아 있는 것을 죽이거나 도둑질을 하지 않아. 나쁜 인간관계를 맺거나 거짓말도 하지 않지.
진짜?
그럼~ 난 절대 거짓말 안 해~!
또한 이중적으로 꾸미는 말과 남을 성나게 하거나 악담하는 말, 이간질하는 말 등을 하지 않아.
남을 헐뜯는 사람은 나쁜 사람~.
그런데 이 사람들이 겨우 깨달음의 1단계에 있을 뿐이라니 놀랍지 않니?
한 가지만 제대로 실천해도 대단히 훌륭한 사람인 것 같은데….
이처럼 깨달음의 경지는 매우 높고 깊어.
그러나 인간이라는 존재 또한 무한한 가능성을 가지고 있지.
슈우우
깨달음의 2단계는 제육식 수준에서 깨달음을 얻는 것이야.
의식 수준에서 모든 것은 서로 연관되어 존재한다는 것과 끊임없이 변화한다는 것 그리고 너와 내가 겉모양은 다르지만 본질적으로는 평등하다는 것을 깨달은 상태지.
짹짹 짹짹
짹짹 짹짹
짹짹 짹짹
이 단계에 도달하면 욕심과 화냄, 어리석음, 교만, 잘못된 생각, 의심 등이 사라져.
욕심
의심
화
잘못된 생각
어리석음
교만
이 단계는 아직 무의식 수준까지는 깨닫지 못한 사람의 깨달음으로, '상사각(相似覺)'이라고 해.
상사각

깨달음의 3단계는 제칠식인 말나식 수준에서 깨달음에 도달한 상태야.
'수분각(隨分覺)' 이라고 하지.
3
2
1
이 단계는 무의식 수준에서도 모든 게 서로 연관되어 존재하고, 끊임없이 변화하는 것도 본래는 하나도 아니고 둘도 아니며 너와 내가 겉모양의 차이에도 본질적으로는 평등하다는 것을 어느 정도 깨달은 상태야.
너와 난 평등한 존재지.
뭐래?
무의식 상태에서도 자기중심적인 생각에서 벗어난 단계지.
깨달음의 4단계는 제팔식인 아라야식 수준에서 깨달음에 도달한 상태야.
뭉게
뭉게
이 단계에 도달하면 생각이 만들어 낸 모든 차별에서 벗어나 존재를 있는 그대로 보게 돼.
스스스스...
무의식의 가장 깊은 곳에 자리 잡고 있는 잘못된 생각에서 벗어나 마침내 마음의 처음 모습이자 본질인 진여를 보게 되지.
궁극적인 깨달음의 단계라고 해서 '구경각(究竟覺)'이라고 불러.
이 단계가 바로 부처님의 깨달음이야.
수행을 통해 깨달음을 얻은 시각이 본래부터 깨달아 있던 본각과 같은 상태에 이른 거야.
이처럼 우리가 깨달음의 단계에 도달할 수 있는 것은 본래는 깨달은 상태에 있었기 때문이야.
진짜요?
잘못된 생각 때문에 그것을 알지 못할 뿐이지.
본각은 끊임없이 작용하고 있어!

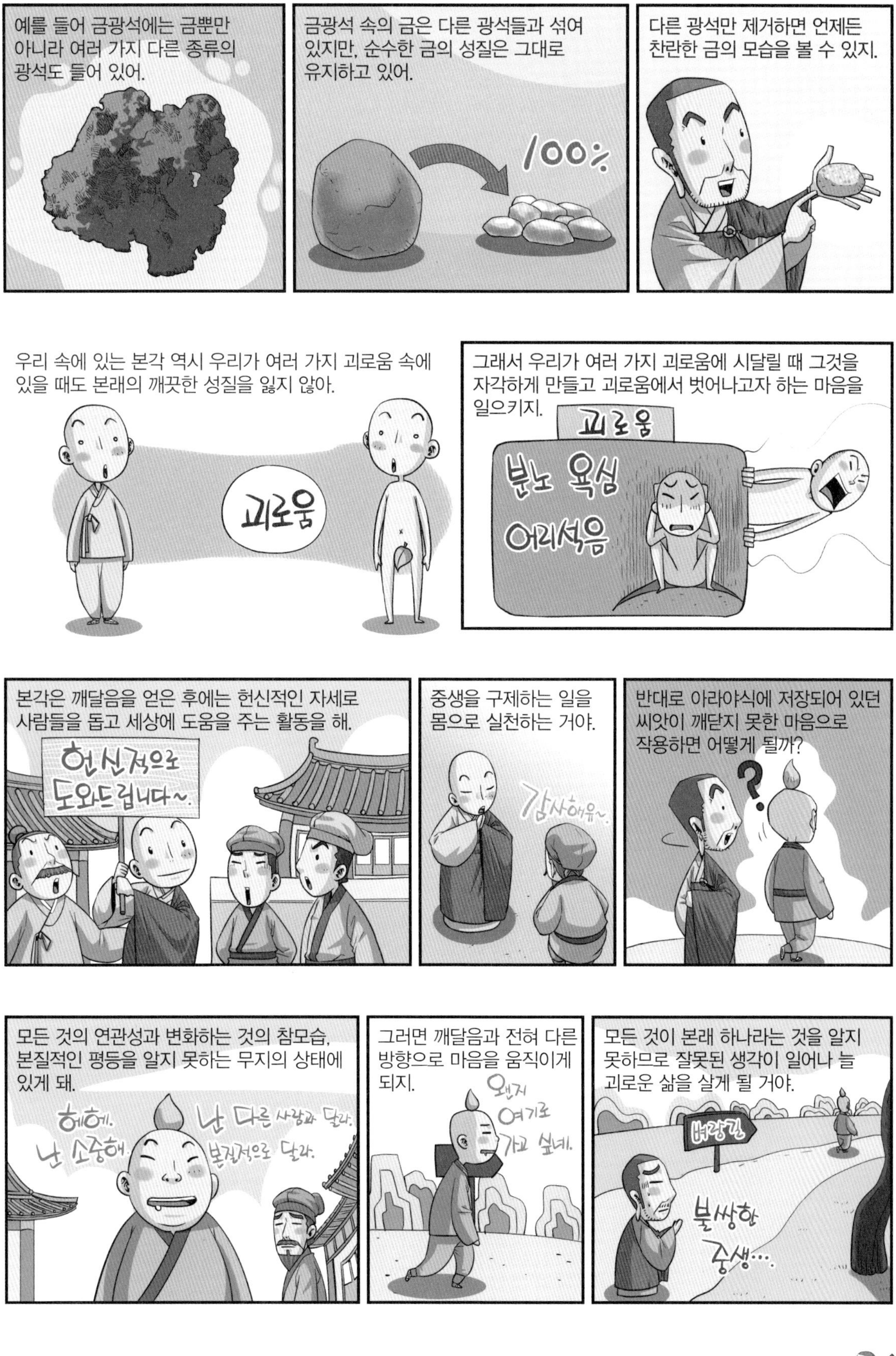
예를 들어 금광석에는 금뿐만 아니라 여러 가지 다른 종류의 광석도 들어 있어.
금광석 속의 금은 다른 광석들과 섞여 있지만, 순수한 금의 성질은 그대로 유지하고 있어.
100%
다른 광석만 제거하면 언제든 찬란한 금의 모습을 볼 수 있지.
우리 속에 있는 본각 역시 우리가 여러 가지 괴로움 속에 있을 때도 본래의 깨끗한 성질을 잃지 않아.
괴로움
그래서 우리가 여러 가지 괴로움에 시달릴 때 그것을 자각하게 만들고 괴로움에서 벗어나고자 하는 마음을 일으키지.
괴로움
분노 욕심
어리석음
본각은 깨달음을 얻은 후에는 헌신적인 자세로 사람들을 돕고 세상에 도움을 주는 활동을 해.
헌신적으로 도와드립니다~.
중생을 구제하는 일을 몸으로 실천하는 거야.
감사해유~.
반대로 아라야식에 저장되어 있던 씨앗이 깨닫지 못한 마음으로 작용하면 어떻게 될까?
?
모든 것의 연관성과 변화하는 것의 참모습, 본질적인 평등을 알지 못하는 무지의 상태에 있게 돼.
헤헤. 난 소중해.
난 다른 사람과 달라. 본질적으로 달라.
그러면 깨달음과 전혀 다른 방향으로 마음을 움직이게 되지.
왠지 여기로 가고 싶네.
모든 것이 본래 하나라는 것을 알지 못하므로 잘못된 생각이 일어나 늘 괴로운 삶을 살게 될 거야.
벼랑길
불쌍한 중생…

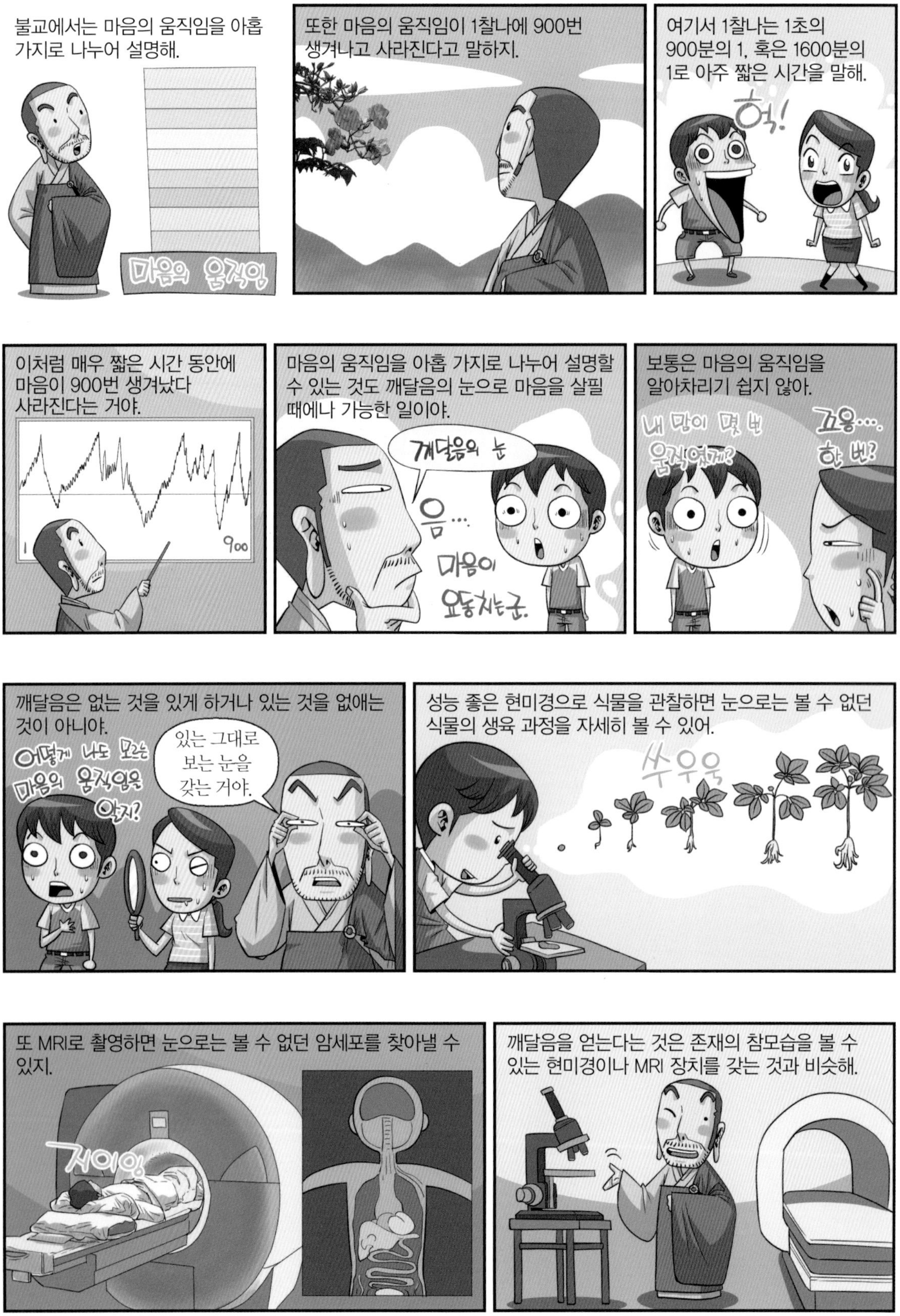

불교에서는 마음의 움직임을 아홉 가지로 나누어 설명해.
마음의 움직임
또한 마음의 움직임이 1찰나에 900번 생겨나고 사라진다고 말하지.
여기서 1찰나는 1초의 900분의 1, 혹은 1600분의 1로 아주 짧은 시간을 말해.
헉!
이처럼 매우 짧은 시간 동안에 마음이 900번 생겨났다 사라진다는 거야.
1
900
마음의 움직임을 아홉 가지로 나누어 설명할 수 있는 것도 깨달음의 눈으로 마음을 살필 때에나 가능한 일이야.
깨달음의 눈
음…
마음이 요동치는군.
보통은 마음의 움직임을 알아차리기 쉽지 않아.
내 맘이 몇 번 움직였게?
끄응…. 한 번?
깨달음은 없는 것을 있게 하거나 있는 것을 없애는 것이 아니야.
어떻게 나도 모르는 마음의 움직임을 알지?
있는 그대로 보는 눈을 갖는 거야.
성능 좋은 현미경으로 식물을 관찰하면 눈으로는 볼 수 없던 식물의 생육 과정을 자세히 볼 수 있어.
쑤우욱
또 MRI로 촬영하면 눈으로는 볼 수 없던 암세포를 찾아낼 수 있지.
지이잉
깨달음을 얻는다는 것은 존재의 참모습을 볼 수 있는 현미경이나 MRI 장치를 갖는 것과 비슷해.

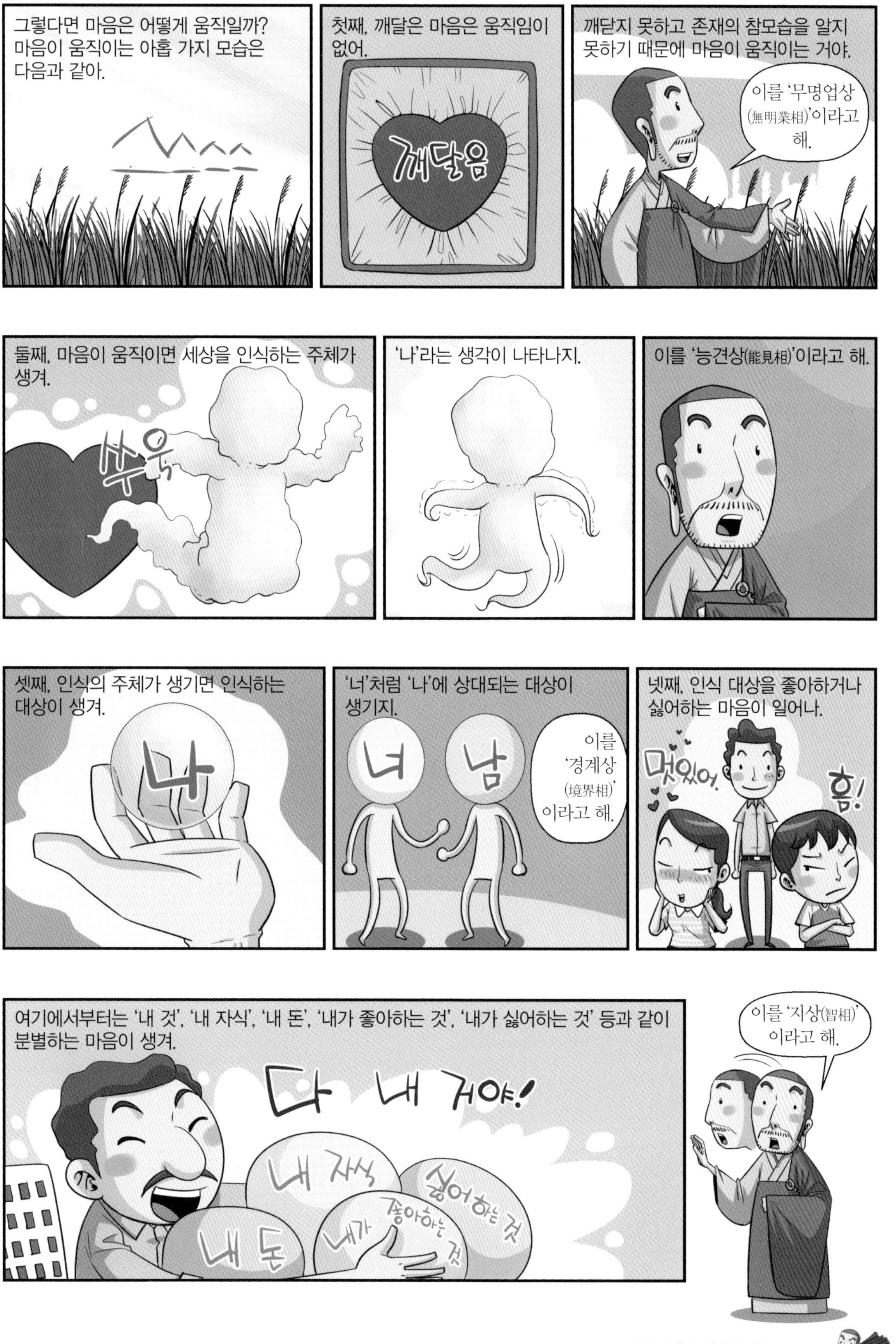
그렇다면 마음은 어떻게 움직일까? 마음이 움직이는 아홉 가지 모습은 다음과 같아.
첫째, 깨달은 마음은 움직임이 없어.
깨달음
깨닫지 못하고 존재의 참모습을 알지 못하기 때문에 마음이 움직이는 거야.
이를 '무명업상(無明業相)'이라고 해.
둘째, 마음이 움직이면 세상을 인식하는 주체가 생겨.
쑤욱
'나'라는 생각이 나타나지.
이를 '능견상(能見相)'이라고 해.
셋째, 인식의 주체가 생기면 인식하는 대상이 생겨.
나
'너'처럼 '나'에 상대되는 대상이 생기지.
너
남
이를 '경계상(境界相)'이라고 해.
넷째, 인식 대상을 좋아하거나 싫어하는 마음이 일어나.
멋있어.
흥!
여기에서부터는 '내 것', '내 자식', '내 돈', '내가 좋아하는 것', '내가 싫어하는 것' 등과 같이 분별하는 마음이 생겨.
다 내 거야!
내 자식
싫어하는 것
내가 좋아하는 것
내 돈
이를 '지상(智相)'이라고 해.

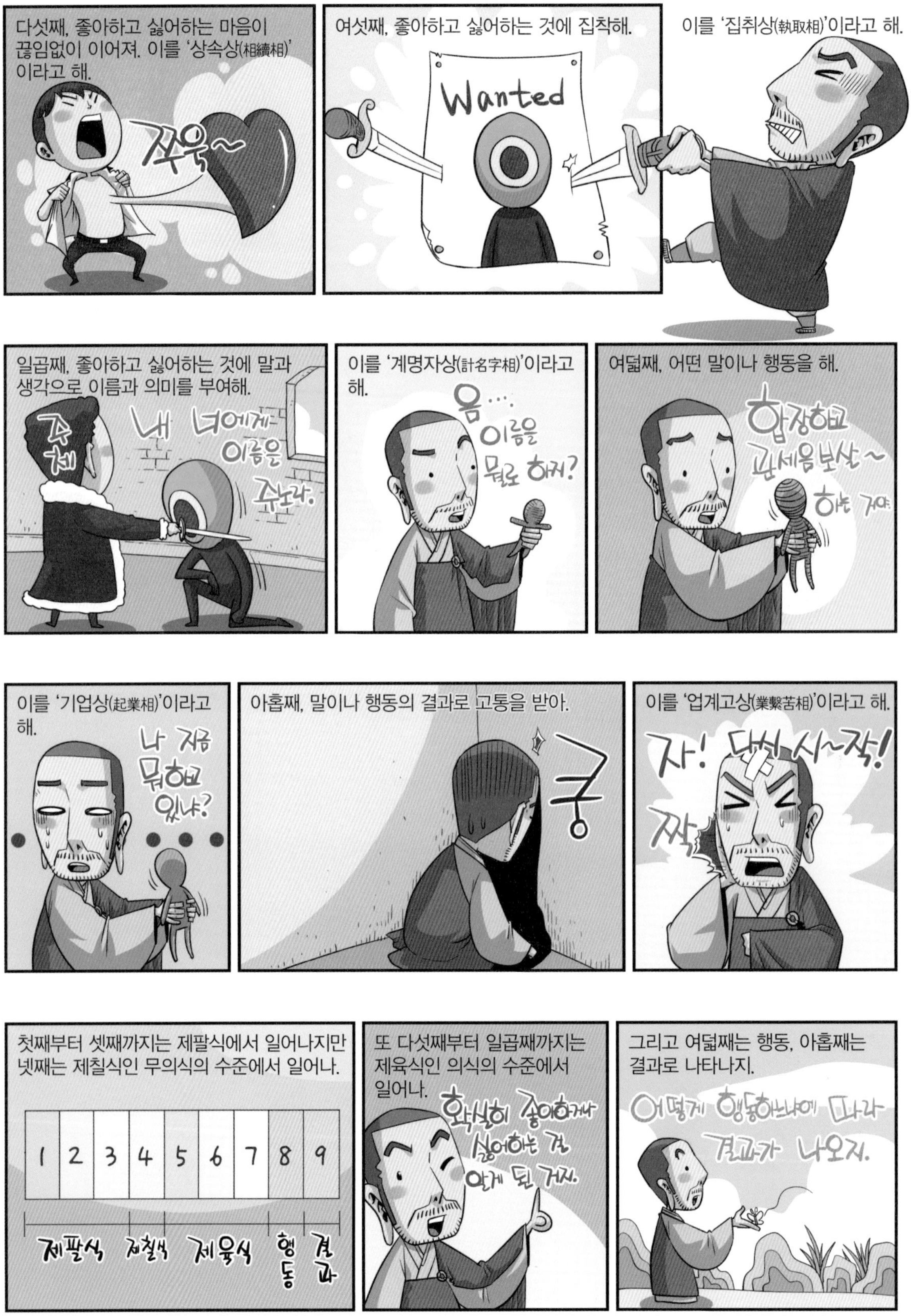
다섯째, 좋아하고 싫어하는 마음이 끊임없이 이어져. 이를 '상속상(相續相)' 이라고 해.
쭈욱~
여섯째, 좋아하고 싫어하는 것에 집착해.
Wanted
이를 '집취상(執取相)'이라고 해.
일곱째, 좋아하고 싫어하는 것에 말과 생각으로 이름과 의미를 부여해.
주체
내 너에게 이름을 주노라.
이를 '계명자상(計名字相)'이라고 해.
음…. 이름을 뭐로 하지?
여덟째, 어떤 말이나 행동을 해.
합장하고 관세음보살~ 하는 거야.
이를 '기업상(起業相)'이라고 해.
나 지금 뭐하고 있냐?
아홉째, 말이나 행동의 결과로 고통을 받아.
쿵
이를 '업계고상(業繫苦相)'이라고 해.
자! 다시 시~작!
짝
첫째부터 셋째까지는 제팔식에서 일어나지만 넷째는 제칠식인 무의식의 수준에서 일어나.
1 2 3 4 5 6 7 8 9
제팔식 제칠식 제육식 행동 결과
또 다섯째부터 일곱째까지는 제육식인 의식의 수준에서 일어나.
확실히 좋아하거나 싫어하는 걸 알게 된 거지.
그리고 여덟째는 행동, 아홉째는 결과로 나타나지.
어떻게 행동하느냐에 따라 결과가 나오지.

첫째부터 넷째까지는 무의식의 수준에서 일어나는 것이라 보통 사람은 알기 어려워.
반면에 다섯째부터 아홉째까지는 의식, 행동, 결과로 나타나는 것이기 때문에 찬찬히 살피면 알아차릴 수 있지.
안절부절
꺄아~
예를 들어 볼까?
한 여자가 어떤 남자를 보고 한눈에 반했어. 이것은 넷째, 좋아하고 싫어하는 분별이 생긴 것이라고 할 수 있어.
그 여자는 밥을 먹을 때나 공부할 때도 그 남자가 계속 생각났어. 이것은 다섯째, 마음이 끊임없이 이어지는 것이야.
생각만 해도
두근
두근
여자는 그 남자 생각에서 벗어날 수가 없었어. 이것은 여섯째, 집착하는 것이라고 할 수 있어.
샥
스토킹
여자는 자기가 남자를 사랑한다고 생각하게 되었어. 이것은 일곱째, 이름과 의미를 부여하는 것이야.
안녕?
학교에서 봐~
마침내 여자는 남자에게 고백했어. 여덟째, 말이나 행동을 하는 것이야.
저기…. 저….
그러니까….
?
그러나 남자는 여자를 거절했어. 상처를 받은 여자는 고통을 당했지.
나를 싫어하나 봐!
이것은 아홉째, 말이나 행동의 결과로 고통을 받는 것이야.

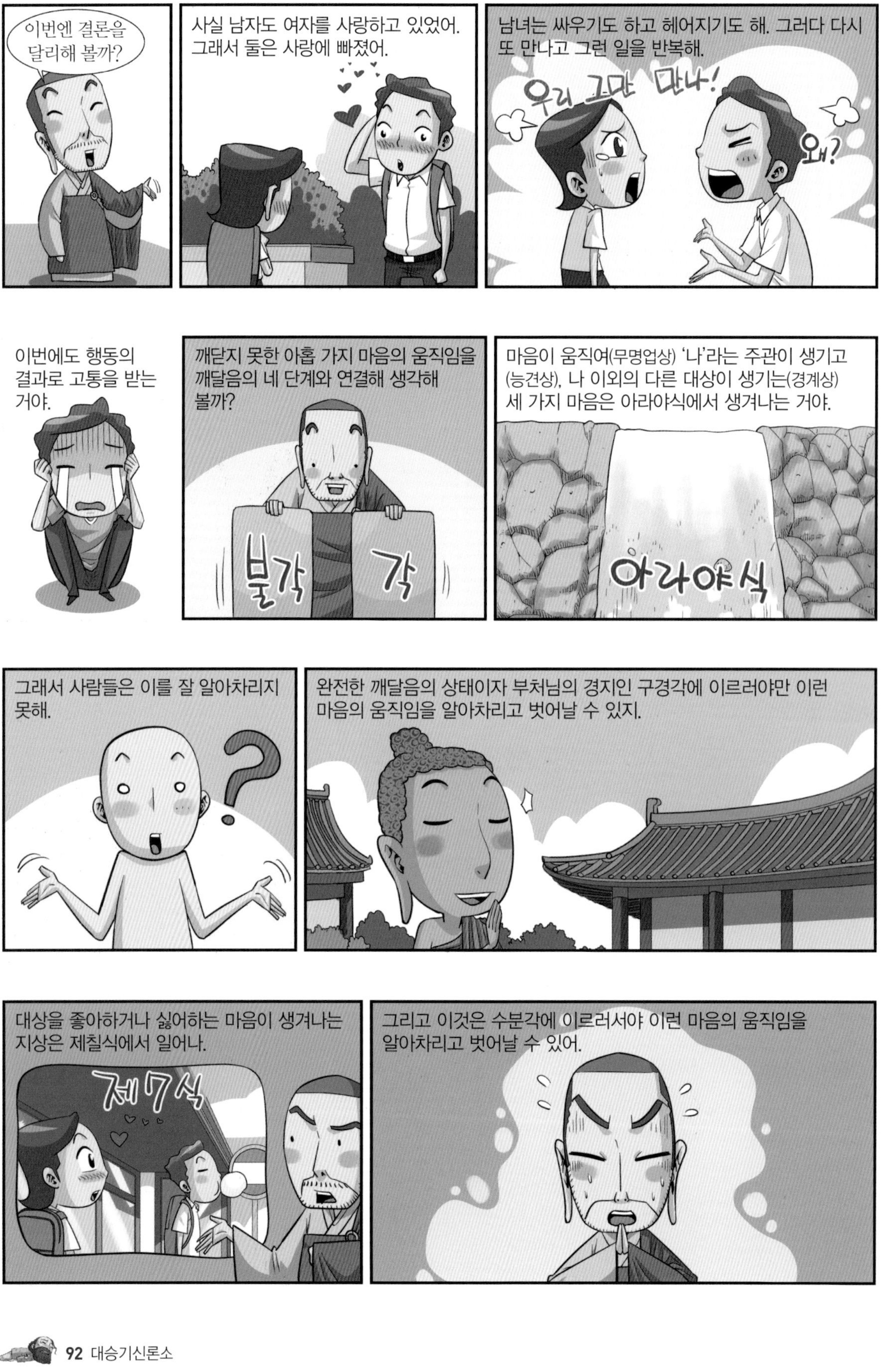

이번엔 결론을 달리해 볼까?
사실 남자도 여자를 사랑하고 있었어. 그래서 둘은 사랑에 빠졌어.
남녀는 싸우기도 하고 헤어지기도 해. 그러다 다시 또 만나고 그런 일을 반복해.
우리 그만 만나!
왜?
이번에도 행동의 결과로 고통을 받는 거야.
깨닫지 못한 아홉 가지 마음의 움직임을 깨달음의 네 단계와 연결해 생각해 볼까?
불각
각
마음이 움직여(무명업상) '나'라는 주관이 생기고(능견상), 나 이외의 다른 대상이 생기는(경계상) 세 가지 마음은 아라야식에서 생겨나는 거야.
아라야식
그래서 사람들은 이를 잘 알아차리지 못해.
완전한 깨달음의 상태이자 부처님의 경지인 구경각에 이르러야만 이런 마음의 움직임을 알아차리고 벗어날 수 있지.
대상을 좋아하거나 싫어하는 마음이 생겨나는 지상은 제칠식에서 일어나.
제7식
그리고 이것은 수분각에 이르러서야 이런 마음의 움직임을 알아차리고 벗어날 수 있어.

다섯째, 좋아하고 싫어하는 마음이 끊임없이 이어지고
둥실
둥실
여섯째, 좋아하고 싫어하는 것에 집착하며
아무 데도 못 가!
일곱째, 좋아하고 싫어하는 것에 이름과 의미를 부여하는 것은 상사각 수준에서 벗어날 수 있어.
뚝
상사각
그리고 여덟째의 어떤 잘못된 말이나 행동은 깨달음의 1단계인 범부각 수준에서 벗어날 수 있지.
범부각
난 널 사랑해~
아무에게도 보여 주고 싶지 않아~
어쩌고 저쩌고…
넌 나 안 보고 싶어?
난 너밖에 없어.
지금 자신을 힘들게 하는 것이 있다면 자신의 마음이 어떻게 움직이는지 찬찬히 살펴봐야 해.
찬찬히 들여다봅니다.
레드 썬!
딱
마음의 움직임을 살필 수 있다면 깨닫지 못해서 나누고 분별하는 마음, 계속 이어지게 하는 마음, 집착하는 마음, 마음대로 이름을 붙이고 의미를 부여하는 마음 등을 스스로 멈출 수 있을 거야.
생각만 해도
두근 두근
안녕?
스토킹
마음은 작게 만들면 한없이 작아져 깨닫지 못한 마음으로 움직이지만 크게 만들면 하염없이 커져 깨달은 마음으로 움직이게 돼.
마음이 무거우면 이 구름은 탈 수 없지.
꺅
쿵
이것은 아라야식 속에 깨달음과 깨닫지 못함이 같지도, 또한 다르지도 않은 마음의 씨앗으로 함께 존재하기 때문이란다.
흑흑….
못 잊겠어.

모든 것은 마음이 지어낸 것일까?

날씬해지고 싶은데, 왜 자꾸 살이 찔까요?
친구들에게 인기를 얻고 싶은데, 왜 자꾸 친구들과 싸우기만 할까요?
흥
공부를 잘하고 싶은데, 하기는 싫어요! 왜 그럴까요?
어떻게 말해 주는 게 좋을까?
살찌는 체질로 태어나서 그래.
가만두지 않겠다~.
네가 인기 없고 자주 싸우는 스타일이라 그렇지.
한마디로 못난이지.
원래 인간은 누구나 공부하기 싫어해.
하지만 열심히 하면 돼!
이렇게 대답할까?

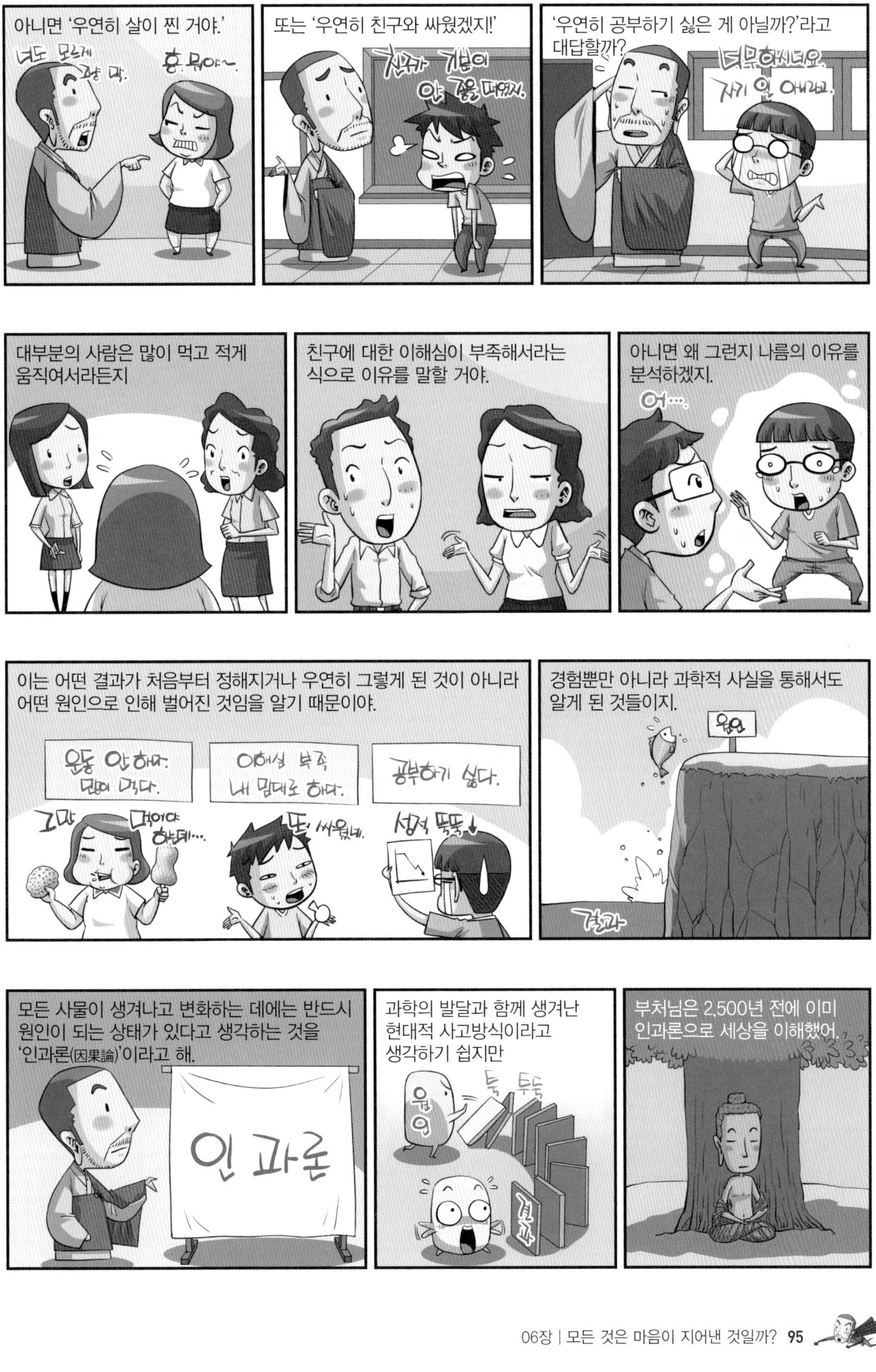
아니면 '우연히 살이 찐 거야.'
너도 모르게 과식 막.
흥, 뭐야~.
또는 '우연히 친구와 싸웠겠지!'
친구가 기분이 안 좋을 때였지.
'우연히 공부하기 싫은 게 아닐까?'라고 대답할까?
너무하시네요. 자기 일 아니라고.
대부분의 사람은 많이 먹고 적게 움직여서라든지
친구에 대한 이해심이 부족해서라는 식으로 이유를 말할 거야.
아니면 왜 그런지 나름의 이유를 분석하겠지.
어….
이는 어떤 결과가 처음부터 정해지거나 우연히 그렇게 된 것이 아니라 어떤 원인으로 인해 벌어진 것임을 알기 때문이야.
운동 안 하다. 많이 먹다.
이해심 부족 내 맘대로 하다.
공부하기 싫다.
그만 먹어야 하는데….
또, 싸웠네.
성적 뚝뚝↓
경험뿐만 아니라 과학적 사실을 통해서도 알게 된 것들이지.
원인
결과
모든 사물이 생겨나고 변화하는 데에는 반드시 원인이 되는 상태가 있다고 생각하는 것을 '인과론(因果論)'이라고 해.
인과론
과학의 발달과 함께 생겨난 현대적 사고방식이라고 생각하기 쉽지만
툭 투둑
원인
결과
부처님은 2,500년 전에 이미 인과론으로 세상을 이해했어.

인과론을 불교식 용어로 표현하면 '인연생기법(因緣生起法)'이라고 해.
줄여서 '연기법(緣起法)' 또는 '인연법(因緣法)' 이라고 하지.
여기서 '인(因)' 자는 내적이며 직접적인 원인을, '연(緣)' 자는 외적이며 간접적인 원인을 말해.
因 緣
직접적인 원인과 간접적인 원인이 합쳐져 어떤 결과가 생겨났다는 거야.
통
결과
연기법은 불교 사상의 핵심 중 하나로, 아주 쉽게 풀이하면 '이것이 있으므로 저것이 있고, 이것이 생기므로 저것이 생긴다.'라고 말할 수 있어.
이것
저것
연기법
이 세상의 모든 것이 어떤 원인이나 인연으로 인해 생겨난다는 말이야.
맛있는 포도는 어떻게 해야 먹을 수 있을까?
마트에 가서 사면 되죠! 헤헤, 농담이에요!
제가 어떤 인연으로 포도를 먹을 수 있는가를 물으시는 거죠?
하하! 질문의 속뜻까지 이해하다니 대단하군! 이제는 삶에 대한 진지한 이야기도 나눌 수 있겠어.
먼저 포도 씨를 심어요!
톡
사막이나 북극에 심으면 씨가 말라 죽거나 얼어 죽으니까, 기름지고 햇볕이 따뜻한 좋은 땅에 심어야겠죠?
쟁 쨍
열매를 맺도록 나쁜 벌레는 잡고, 종이로 싸 주기도 해요.
꽉

또 태풍에 날아가지 않게
지지대를 세우고 정성스러운
손길로 돌봐요.
포도가 잘 크면 트럭 아저씨가
농수산물 시장과 마트까지 배달해 줘요.
거기에 판매원의 수고가 더해지면
우리는 포도를 먹을 수 있어요.
맛 좋은 포도가
왔습니다!
참, 포도 살 돈을 버시는 부모님의
노고도 빠트리면 안 되겠죠?

이야, 아주
훌륭한 대답이네!
짝
짝
짝
연기법으로 세상을 보면 내가 한 알의 포도를 먹기까지 얼마나 많은 인연들이 모이는지 알게 돼.
씨앗
앙~

여기서 포도 씨는 내적이고도 직접적인 원인이므로 '인(因)'이라고 할 수 있어. 땅, 햇볕, 물, 농부의 정성, 벌레 잡기, 종이, 트럭 아저씨와 판매원 그리고 부모님의 노고 등은 외적이고도 간접적인 원인이므로 '연(緣)'이 되지.

因
緣
마트
포도
세일~

그리고 그 결과 우리가 포도를 먹을 수 있게 되는 거야.
그렇구나!
냠
냠
인과 연이 어떻게 작용하느냐에 따라 포도가 많이 열리고 포도 알이 굵어지며 맛이 더욱 달콤해지기도 해.
좋은 씨앗과 정성으로
최고의 맛을 만들지!

여기서 잠깐 시 한 편 감상해 볼까? 장석주 시인이 쓴 〈대추 한 알〉이라는 시야.
저게 저절로 붉어질 리는 없다.
저 안에 태풍 몇 개
저 안에 천둥 몇 개
저 안에 벼락 몇 개
저게 저 혼자 둥글어질 리는 없다.
저 안에 무서리 내리는 몇 밤
저 안에 땡볕 두어 달
저 안에 초승달 몇 날이 들어서서
둥글게 만드는 것일 게다.
대추야
너는 세상과 통하였구나!
이 시를 보면 시인은 연기법에 눈이 밝은 사람이라고 할 수 있어.
하하 뭘, 그 정도는…
대추 한 알 속의 태풍과 천둥, 벼락, 무서리, 땡볕, 초승달의 인연을 훤히 보고 있으니 말이야.
오오
앞에서 깨달음이란 존재의 본래 모습 또는 마음의 참모습을 볼 수 있는 성능 좋은 현미경을 갖는 것과 같다고 말했지?
그만큼 본모습을 보기가 어렵다는 얘기지.
이 말은 '깨달음이란 연기법으로 세상을 보는 것'으로 바꿔 말할 수 있어.
사물이나 사람, 사건의 인연을 얼마나 환히 보느냐에 따라 깨달음의 단계는 달라져.
어디 보자~.
어떤 사람은 포도 한 알에서 돈으로 산 인연만 볼 것이고
샀으면 됐지, 뭐!
어떤 사람은 흙, 햇볕, 농부, 트럭 아저씨, 부모님의 노고라는 인연을 볼 거야.
맛있다!
또 어떤 사람은 태풍, 땡볕, 초승달의 인연도 보겠지?
외계인이다!

연기법이라는 현미경으로 세상을 보면 어떤 일이 일어날까?
온 우주가 만들어 내고 온 우주에 영향을 미치는 작은 포도 알의 존재를 깨닫게 될 거야.
모든 것은 서로 연관되어 존재하고 끊임없이 변화한다는 것과
흙
모래
바람
여름
비
본래 하나도, 둘도 아니며 겉모양의 차이에도 불구하고 본질적으로는 모두 평등하다는 것을 알게 되는 것이지.
하… 하이~
한편 인연에는 마음이 생멸하는 인연도 있어.
생멸인연
생멸인연이란 마음이 생겨나고 사라지는 직접적인 원인과 간접적인 원인을 말해.
후우~
마음
슈우우
펑
분노, 슬픔, 기쁨, 절망, 원망 등의 마음이 생겨났다가 사라지는 원인이지.
내 풍선~!
히잉~~
흑흑
툭
마음이 생겨나고 사라지는 것은 우연한 일이 아니야.
툭
어떤 직접적인 원인과 간접적인 원인이 만나 생겨난 결과지.
직접
간접
결과
마음은 본래 고요하고 평화로운 것인데 왜 이렇게 생겼다가 사라지는 것을 반복할까?
쏴아아아

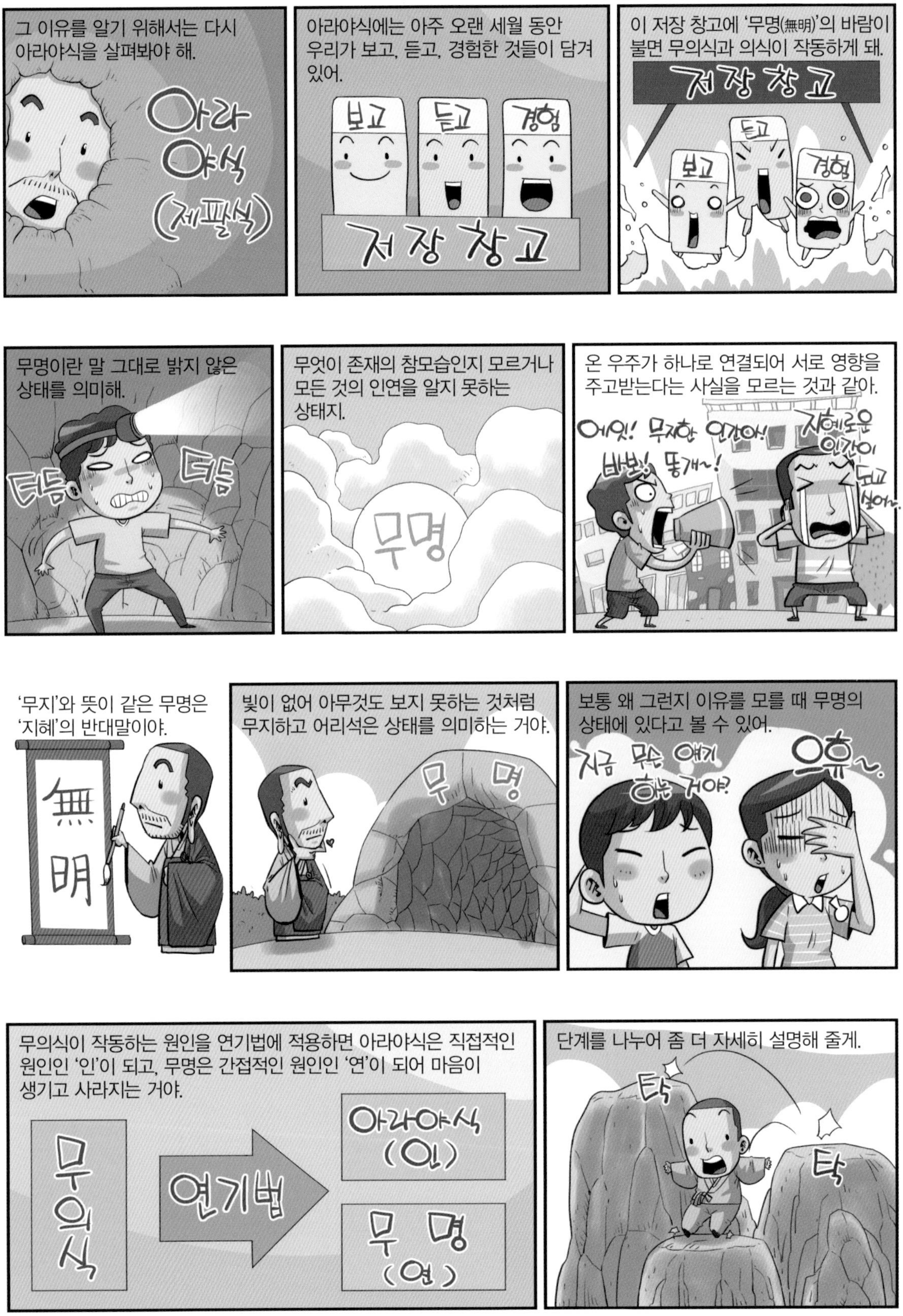
그 이유를 알기 위해서는 다시 아라야식을 살펴봐야 해.
아라야식 (제팔식)
아라야식에는 아주 오랜 세월 동안 우리가 보고, 듣고, 경험한 것들이 담겨 있어.
보고
듣고
경험
저장 창고
이 저장 창고에 '무명(無明)'의 바람이 불면 무의식과 의식이 작동하게 돼.
저장 창고
보고
듣고
경험
무명이란 말 그대로 밝지 않은 상태를 의미해.
더듬
더듬
무엇이 존재의 참모습인지 모르거나 모든 것의 인연을 알지 못하는 상태지.
무명
온 우주가 하나로 연결되어 서로 영향을 주고받는다는 사실을 모르는 것과 같아.
에잇! 무지한 인간아!
바보! 똥개~!
지혜로운 인간이 되고 싶어~.
'무지'와 뜻이 같은 무명은 '지혜'의 반대말이야.
無明
빛이 없어 아무것도 보지 못하는 것처럼 무지하고 어리석은 상태를 의미하는 거야.
무명
보통 왜 그런지 이유를 모를 때 무명의 상태에 있다고 볼 수 있어.
지금 무슨 얘기 하는 거야?
으휴~.
무의식이 작동하는 원인을 연기법에 적용하면 아라야식은 직접적인 원인인 '인'이 되고, 무명은 간접적인 원인인 '연'이 되어 마음이 생기고 사라지는 거야.
무의식
연기법
아라야식 (인)
무명 (연)
단계를 나누어 좀 더 자세히 설명해 줄게.
탁
탁

1단계, 아라야식에 무명의 바람이 불면 깨닫지 못한 마음이 일어나는데, 이것을 '업식(業識)'이라고 해.
휘이이이
무명
무의식
원래 고요하고 평화로웠던 마음에 움직임이 생긴 거야.
퐁
2단계, 마음이 움직이니 서로 연관되어 하나도, 둘도 아닌 마음이 변화해 '나'라는 인식 주체가 생겨나. 이것은 '전식(轉識)'이야.
나
마음의 변화
3단계, 인식하는 주체가 생기니 상대하는 인식의 대상이 나타나는데 이를 '현식(現識)'이라고 해.
무의식은 이처럼 단계를 거치면서 작용해.
현식
전식
업식
'나'라는 인식의 주체가 생기니 내가 아닌 것들은 대상이 되는 거야.
VS
나
대상
결국 세상의 모든 것들이 인식의 대상이 되는 것이지.
내 컴퓨터, 나무, 아파트, 친구, 사과, 아이돌 가수, 음악 소리, TV, 선생님의 수업과
각종 냄새, 된장찌개나 햄버거 등의 맛있는 음식
킁킁
그리고 축구공, 엄마의 손처럼 인식의 대상이 생겨나는 거야.
무명이 '인'이 되고, 대상이 '연'이 되어 마음이 움직이면
쿠구구궁
연
마음
인
업식, 전식, 현식의 단계를 거친 후 '지식(智識)'이 생겨나.
지식

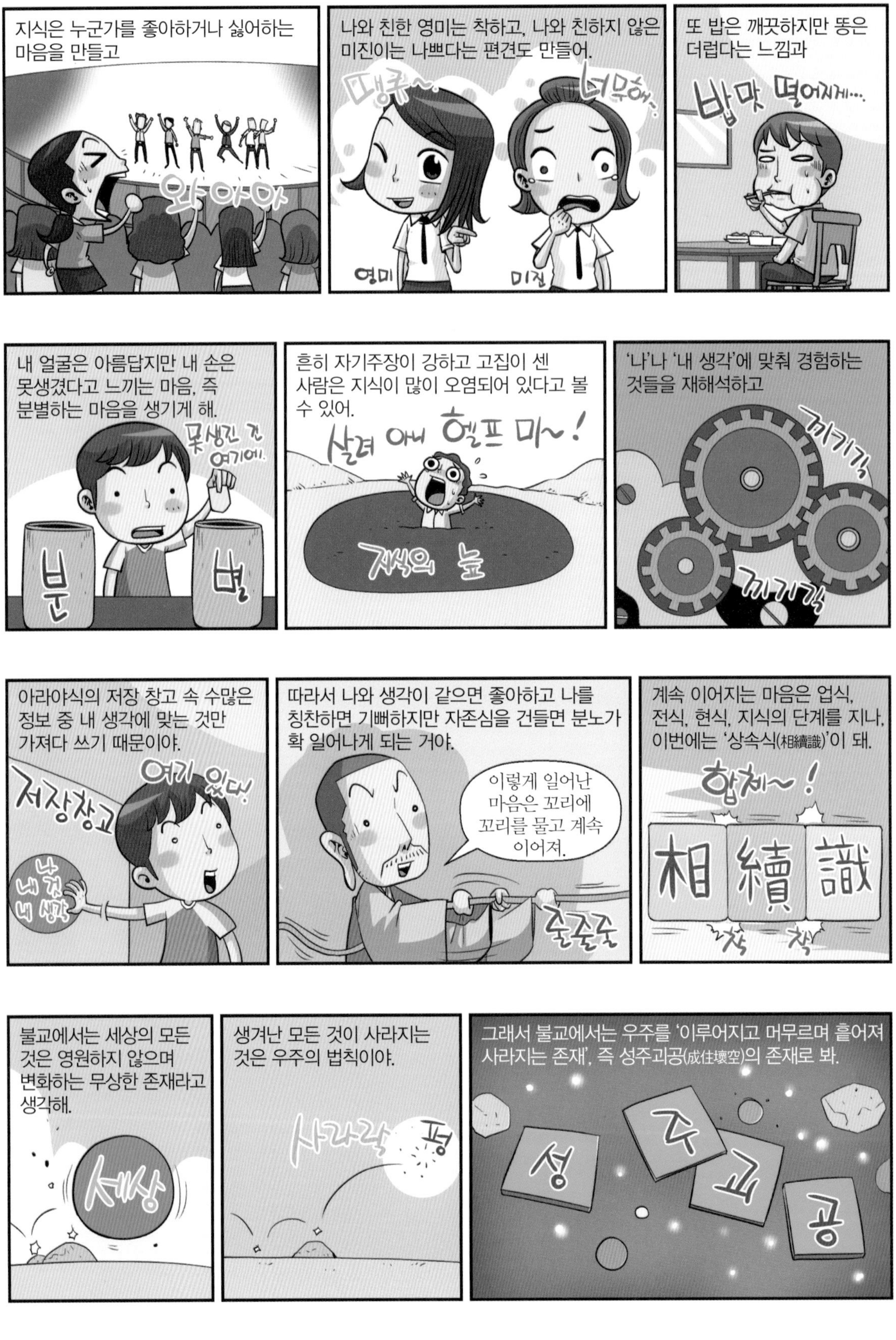
지식은 누군가를 좋아하거나 싫어하는 마음을 만들고
와아아
나와 친한 영미는 착하고, 나와 친하지 않은 미진이는 나쁘다는 편견도 만들어.
땡큐~
너무해~
영미
미진
또 밥은 깨끗하지만 똥은 더럽다는 느낌과
밥맛 떨어지게…
내 얼굴은 아름답지만 내 손은 못생겼다고 느끼는 마음, 즉 분별하는 마음을 생기게 해.
못생긴 건 여기에!
분
별
흔히 자기주장이 강하고 고집이 센 사람은 지식이 많이 오염되어 있다고 볼 수 있어.
헬프 미~!
지식의 늪
'나'나 '내 생각'에 맞춰 경험하는 것들을 재해석하고
아라야식의 저장 창고 속 수많은 정보 중 내 생각에 맞는 것만 가져다 쓰기 때문이야.
저장창고
여기 있다!
따라서 나와 생각이 같으면 좋아하고 나를 칭찬하면 기뻐하지만 자존심을 건들면 분노가 확 일어나게 되는 거야.
이렇게 일어난 마음은 꼬리에 꼬리를 물고 계속 이어져.
줄줄줄
계속 이어지는 마음은 업식, 전식, 현식, 지식의 단계를 지나, 이번에는 '상속식(相續識)'이 돼.
합체~!
相 續 識
착 착
불교에서는 세상의 모든 것은 영원하지 않으며 변화하는 무상한 존재라고 생각해.
세상
생겨난 모든 것이 사라지는 것은 우주의 법칙이야.
사라락
펑
그래서 불교에서는 우주를 '이루어지고 머무르며 흩어져 사라지는 존재', 즉 성주괴공(成住壞空)의 존재로 봐.
성
주
괴
공

인간을 포함한 모든 생명체는 태어나 늙고 병들며 죽어. 이를 생로병사(生老病死)라고 해.
응애~ 응애!
生
老
으~
病
死
또한 우리의 생각은 일어났다가 머무르고 변화하며 사라지는데 이는 생주이멸(生住異滅)이라고 하지.
생각
生
住
異
滅
뿅
물질이든 생명이든 혹은 정신이든 모든 것은 다 변해. 그것이 자연의 진리야.
그런데 없는 것을 계속 붙잡아 이전 생각을 나중까지 이어지게 하는 것이 있는데 이것이 바로 상속식인 거야.
이익
상속식
상속식 때문에 이미 지나간 일을 문득 떠올리며 기뻐하거나 괴로워하고, 미래의 일을 걱정하는 것이지.
재미있는 이야기 하나 들려줄까?
어느 이른 아침에 길을 나선 두 승려가 시냇물을 건너게 되었어. 여름이라 비가 많이 온 탓에 물이 많이 불어 있었지.
쏴아아
그때 한 처녀가 시냇물을 건너지 못하고 동동대는 모습이 보였어.
그러자 한 승려가 처녀를 등에 업고 물을 건너가 주었어.
철벅
철벅
그날 밤, 승려들은 어느 절에서 쉬어 가기로 했어.
이때 처녀를 업지 않은 승려가 따지듯 말했어.
어떻게 승려가 그럴 수 있습니까?
왜 그러시는지요?

승려가 지켜야 할 계율이 있거늘, 어찌 처녀를 등에 업으신 겁니까?
난 처녀를 벌써 내려놓고 왔는데 스님은 아직도 업고 계십니까?
처녀를 업은 승려는 생각을 계속 이어 가지 않으니 괴로움이 없는데, 처녀를 업지 않은 승려는 생각이 꼬리를 물고 이어지며 밤까지 괴로웠던 거야.
내가 업었어야 하는데!
아냐! 내가 업는 것보다 지나쳐서 왔어야 하는 건데.
생각이라는 것은 찰나에 생겨났다가 머무르고 변화하며 사라져.
이미 사라진 것을 붙잡고 계속 이어 가는 상속식은 내가 의식할 수 있는 수준에서 일어나지만 의식과 무의식을 연결하고 과거와 현재 그리고 미래까지 연결해 사람을 괴롭게 해.
처녀 업기
그래서 어려운 일을 당한 사람에게 계속 생각하지 말고 잊으라고 말하는 거야.
아~
상속식만 끊어도 괴로움에서 벗어날 수 있거든.
상속식
여행을 떠나면 마음이 편해지는 것도 끊임없이 이어지던 마음의 기억이 낯선 곳에서는 끊어지기 때문이야.
야호~!
야호~
야호~
야호~
이런 이유로 불교에서는 '마음이 사라지니 갖가지 일이 사라진다. 그러므로 모든 것은 마음이 만들어 내는 것이다.'라고 하는 거란다.
고오오
이것이 바로 일체유심조인 거야.
당나라 유학을 그만둔 것도 바로 일체유심조를 깨달았기 때문이었지.
당
다 마음먹기에 달렸지.

일체유심조는 불교에서 아주 중요하고도 기본적인 가르침이야.
일체유심조 일체유심조 일체유심조 일체유심조
그런데도 해골 물을 마신 후에야 그 의미를 온전히 깨닫게 된 거야.
똑같은 물인데 왜 다르게 느껴진 걸까?
음…
지난밤에 물을 먹었을 때는 해골에 담긴 썩은 물이라는 것을 몰랐다가
캬! 물맛 좋다!
이튿날 썩은 물이라는 것을 알게 되자 마음이 움직여 더럽다는 생각이 일어난 거야.
고인 물 → 오래된 물 → 썩은 물
웁!
그리고 예전에 더러운 것을 먹었던 기억과 이어지며 토하게 된 것이지.
썩은 물 → 토하자!
웩
썩은 물 때문이 아니라 마음 때문에 토했던 거야.
생각해 보면 그냥 물과 다를 게 없는 투명한 액체였어.
모든 것은 마음이 만들어 내는 것이라는 말, 이해되지?
마음
지금 제 눈앞에는 책상과 컴퓨터가 있어요. 그리고 휴대 전화도 있고요.
이처럼 수많은 사람과 사물 모두 제 마음이 만들어 낸 것이라고요?
직접 보고, 만지고, 맛볼 수 있는 것들을 어떻게 마음이 만든다는 거예요?
음…

일체유심조는 눈앞에 있는 물건이나 사람이 존재하지 않는다는 말이 아니야.
??
눈앞에 있는 대상을 마음으로 색칠해 원래 모습과 다르게 본다는 뜻이지.
난 똑바로 보고 있는데?
너무 어려워~.
오늘 아침에 본 엄마는 30년 전이나 한 달 전과 똑같을까?
아니요.
시간의 흐름이 있는데….
지금의 엄마는 아침의 엄마와 마음 상태나 세포의 상태 그리고 머리 모양도 같지 않아.
아함
아들 또 어디 갔어?
그런데도 '엄마'라는 말과 생각으로 엄마를 고정시켜 부분만 본다는 거야.
엄마의 이미지….
빨리 방에 가서 공부 안 해?
어느 날 학교에서 작년에 친하게 지냈던 친구를 만났어. 반가운 마음에 툭 치며 "고등어!" 하고 친구의 별명을 불렀어.
탁
그런데 친구가 네 손을 탁 친 후 아주 기분 나쁜 얼굴로 지나갔어.
뭐냐?
씩씩
그러면 네 기분이 어떨까?
아주 어이가 없겠지요.
그렇다면 그 친구는 어땠을까?
글쎄요.
흥!
'작년에 친했던 친구, 고등어'는 친구의 고정된 모습이야.
그러나 친구의 지금 모습은 전과 크게 달라졌을 수 있어.
?
아니면 어깨가 몹시 아파서 툭 치는 순간 심한 통증을 느낀 것인지도 모르지.
으~

또 바로 직전에 선생님께 혼이 나 심하게 화가 난 상태였을 수도 있고.
야! 고등어~!
혹시 말은 하지 않았지만 고등어라는 별명이 아주 싫었을 수도 있잖아?
난 고등어가 싫다고~!
이처럼 친구의 지금 모습은 전과 전혀 다르다는 거야.
모든 것이 마음 때문인 것을 알게 되면, 자신의 생각이 꼭 옳다는 생각에 사로잡히지 않고 상대를 있는 그대로 보려고 노력하게 돼.
있는 그대로
있는 그대로의 모습…
뚜두두둑.
바닥에 앉아서 왜 저래?
그래서 모든 것은 마음이 만들어 낸다는 거야.
있는 그대로의 모습~
저 스토커!
사람들은 자신의 생각에 비추어 모든 것을 판단해.
기준~!
어떤 때는 정상이라고 했다가도 어떤 때는 비정상이라고 하지.
너, 너무 비정상이야.
너도 비정상이야!
그런 후에 화내고 미워하다가 웃고 좋아하며 사랑해.
혼나 볼래?
퍽
퍽
그러나 그 대상은 생각처럼 정상이거나 비정상이 아니야.
씩씩
유유~
씩씩
모든 존재는 연관되어 영향을 주고받으며 끊임없이 변화하거든.
둘의 관계가 영향을 받으며 싸움까지 갔겠지?
단지 우리 마음이 오염된 상태로 대상을 보기 때문에 대상이 오염된 것처럼 보이는 거야.
아저씨 비정상이죠?
뭣이?
ㅋㅋㅋ
사람과 독수리, 개미가 생각하는 지구의 모습이 제각기 다른 것처럼 말이야.
모든 것은 마음이 지어낸 것!

7장 나를 무엇에 물들게 할까?

– 정법훈습(淨法薰習)과 염법훈습(染法薰習)

정법
훈습
염법
훈습

고깃집에서 식사 후 옷에 고기 냄새가 심하게 밴 적 있니?
지글
지글

아니면 담배 피우는 사람 곁에 있다가 옷에 담배 냄새가 밴 적은?
무슨 담배를 이렇게 많이 피워?

옷에 고기를 흘리거나 담뱃재를 묻힌 것도 아닌데

왜 옷에서 그와 같은 냄새가 날까?
당연히...

그것은 바로 옷에 냄새가 배어서 그래.
그걸 모르는 사람이 있을까?

옷에 냄새가 배는 것처럼 알게 모르게 물들어 가는 것을 '훈습(薰習)'이라고 해.
薰
習
스며들 훈
물들 습

내가 의식적으로 영향을 받으려고 해서 영향을 받는 것이 아니라 나도 모르게 따라 하고 변해 가는 것이지.
까르르
환경이 중요해.
우리가 생각하고 말하며 행동하는 모든 것은 생겨났다가 그냥 사라지지 않고 어떤 흔적을 남겨.
스님~!
이 흔적은 우리 안에 남아서 우리의 생각과 말 그리고 행동의 씨앗이 되지.
그러다 때가 되고 인연이 닿으면 어떤 생각, 말, 행동으로 나타나게 돼.
생각
말
행동
우리의 마음에서 일어나는 훈습은 크게 두 가지가 있어.
정법훈습
염법훈습
하나는 마음을 깨끗하게 해서 깨달음에 이르게 하는 훈습이고
나무 아미타불
쏴아아
다른 하나는 마음을 오염시켜 깨닫지 못하게 하는 훈습이야.
이런 데서 무슨 학습이야?
마음을 깨끗하게 하는 것은 '깨끗할 정(淨)' 자를 써서 '정법훈습(淨法薰習)'이라고 해.
淨
法
薰
習
반대로 마음을 오염되게 만드는 것은 '물들일 염(染)' 자를 써서 '염법훈습(染法薰習)'이라고 하지.
染
法
薰
習
지금부터 훈습에 관한 부처님의 유명한 가르침을 이야기해 줄 테니 잘 들어 보렴.

부처님이 제자들과 외출하고 절로 돌아오는 길이었어.
길에 종이가 떨어져 있는 것을 본 부처님은 제자를 시켜 종이를 주워 오게 했어.
부처님이 제자에게 어떤 종이냐고 묻자 제자는 "향을 쌌던 종이입니다. 향기가 아직 남아 있습니다."라고 대답했어.
다시 길을 가는데 이번에는 새끼줄이 땅에 떨어져 있었어.
부처님은 다시 제자를 시켜 새끼줄을 주워 오게 했어.
무슨 새끼줄이냐는 부처님의 물음에 제자는 "생선을 묶었던 새끼줄입니다. 줄에서 비린 생선 냄새가 납니다."라고 대답했지.
그러자 부처님께서는 다음과 같은 가르침을 주셨어.
사람은 원래 깨끗하지만, 인연에 따라 죄를 짓기도 하고 복을 받기도 한다.
착한 이를 가까이하면 도덕과 의리가 높아 가고, 어리석은 이를 가까이하면 재앙과 죄를 쌓게 된다.
도덕
의리
재앙
죄
종이가 향을 가까이하면 향이 나고, 새끼줄이 생선을 꿰면 비린내가 나는 것과 같다.
사람은 누구나 조금씩 물들어 그것을 익히지만 스스로 그렇게 되는 줄 모를 뿐이다.
여기서 향을 싼 종이는 정법훈습을, 생선을 묶은 새끼줄은 염법훈습을 비유한 것이라고 할 수 있어.
정법
훈습
염법
훈습

중국의 사상가인 공자도 비슷한 내용으로 제자들을 가르친 적이 있어.
공자는 착한 사람과 함께 있는 것은 향기로운 난초가 있는 방 안에 들어간 것과 같다고 했어. 오래되면 그 냄새를 맡지 못하는데 이는 곧 그 향기와 더불어 같게 되기 때문이야.
뿌웅
반대로 착하지 않은 사람과 같이 있으면 절인 생선 가게에 들어간 것과 같다고 했지.
욱~
킁킁
비유는 달라도 가르침은 같지?
그런데 나도 모르게 일어나는 것까지 굳이 알아야 할까?
옷에 심하게 배인 고기 냄새는 다른 사람들에게 불쾌감을 줄 수도 있어.
누구야?
어우~
냄새~.
그래서 요즘은 옷을 비닐 봉투에 넣고 고기를 먹기도 하지.
Good!
훈습 작용의 영향을 알면 이처럼 알게 모르게 일어나는 문제점을 해결할 수 있어.
오! 냄새 안 난다.
가세요~.
그 결과 고기도 맛있게 먹고, 옷도 깨끗하게 보관할 수 있으니 일석이조야.
냠냠
지글
지글
우리 마음속에서 일어나는 훈습 작용도 마찬가지야. 선택에 따라 마음을 깨끗하게 할 수 있지만 오염시킬 수도 있어.
마음을 깨끗하게 비닐에 넣는 거야~.

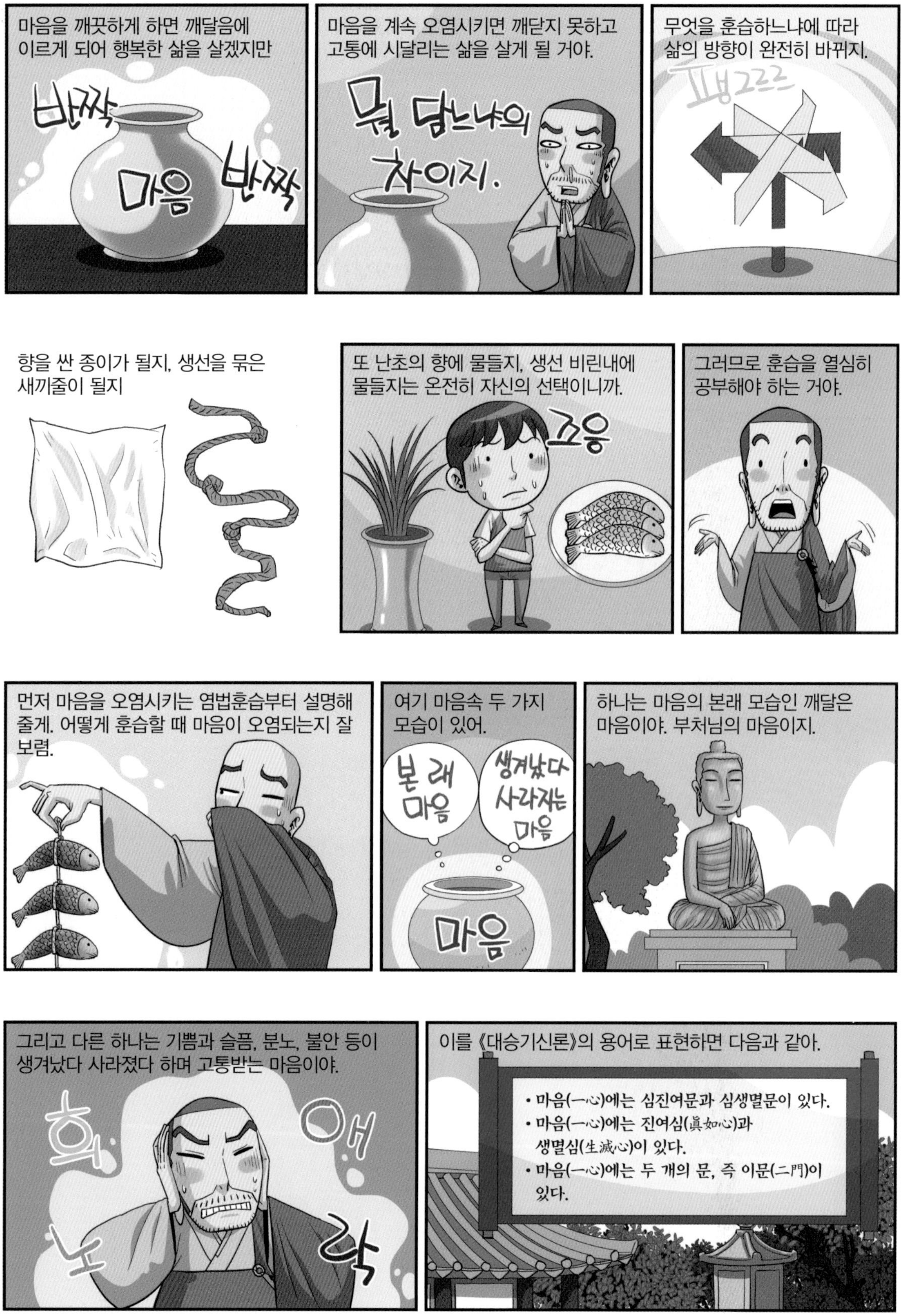

마음을 깨끗하게 하면 깨달음에 이르게 되어 행복한 삶을 살겠지만
반짝
마음
반짝
마음을 계속 오염시키면 깨닫지 못하고 고통에 시달리는 삶을 살게 될 거야.
뭘 담느냐의 차이지.
무엇을 훈습하느냐에 따라 삶의 방향이 완전히 바뀌지.
팽그르르
향을 싼 종이가 될지, 생선을 묶은 새끼줄이 될지
또 난초의 향에 물들지, 생선 비린내에 물들지는 온전히 자신의 선택이니까.
끄응
그러므로 훈습을 열심히 공부해야 하는 거야.
먼저 마음을 오염시키는 염법훈습부터 설명해 줄게. 어떻게 훈습할 때 마음이 오염되는지 잘 보렴.
여기 마음속 두 가지 모습이 있어.
본래 마음
생겨났다 사라지는 마음
마음
하나는 마음의 본래 모습인 깨달은 마음이야. 부처님의 마음이지.
그리고 다른 하나는 기쁨과 슬픔, 분노, 불안 등이 생겨났다 사라졌다 하며 고통받는 마음이야.
희
애
노
락
이를 《대승기신론》의 용어로 표현하면 다음과 같아.
• 마음(一心)에는 심진여문과 심생멸문이 있다.
• 마음(一心)에는 진여심(眞如心)과 생멸심(生滅心)이 있다.
• 마음(一心)에는 두 개의 문, 즉 이문(二門)이 있다.

우리 마음은 본래 깨달은 마음인데, 왜 이렇게 움직이는 걸까?
고걸 알면 전 부처님이 돼 있겠죠. 험험….
그건 마음의 본래 모습인 진여를 깨닫지 못하고, 너와 나를 구별하며 차별하기 때문이야.
아하~
우리의 본래 마음은 화내고 괴로워하는 성질이 없어. 무명의 영향으로 그런 것이지.
무명
무명의 영향으로 고통받는 모습은 쥐약을 먹고 몸부림치며 여러 가지 생각을 하는 쥐에 비유할 수 있어.
꼬윽~
내가 하느님을 안 믿어 하느님이 나를 벌주시나? 아니면 사주팔자를 잘못 타고났나? 혹시 내가 전생에 죄를 많이 지어서? 그게 쥐약인 줄은 몰랐는데….
쥐약
어느 쪽이 진실일까? 정말 전생에 죄를 짓거나 하느님한테 벌을 받아 쥐약을 먹게 된 걸까?
고… 그게….
아니야. 쥐약인 줄 몰라서 먹은 것뿐이야. 무지해서 쥐약을 먹은 것이지. 그러므로 쥐의 고통의 근원은 무지인 거야.
띵
이 무지가 바로 무명이야.
쥐약
무명의 영향은 무명의 훈습과 같아.
온 우주가 하나로 연결되어 서로 영향을 주고받는다는 것을 모르는 무명이 진여에 알게 모르게 영향을 주면
쭉~
콕
진여
무명
고요하고 평화로웠던 마음이 번잡하게 움직여 고통을 만드는 거야.
마음의 고통
쏴아아~

이렇게 나타나는 마음은 무명업상이고,
이러한 마음의 작용은 업식이야.
無明業相
業識
또 존재의 참모습을 보지 못하게 하므로 허망한 마음,
즉 '망심(妄心)'이라고도 하지.
망심
참모습
업식은 가만히 있지 않고 다시 무명에
영향을 끼쳐 '나'라는 생각을 만들어.
업식
콰콰콰콰콰
이때 나타나는 마음이 바로
능견상이야.
능견상
이러한 마음의 작용은 마음이 변화해 '나'가
생겼으므로 전식이지.
轉識
전
나
식
'나'라는 생각이 생기자 '너', '남'처럼
나와 상대되는 대상이 생겨.
나이스
미츄~
나
너
남
이렇게 나타나는 마음이
경계상이야.
境界相
이러한 마음의 작용은 현식이지.
現識
이제 '나' 아닌 모든 것들은 나와 연결되어
영향을 주고받으며 끊임없이 변화하던 존재가
아니게 돼.
사람들은 '나'라는 존재를 명확하게
인식하면서부터 너와 나를 나누고
나
너
천재와 바보를 나눠.
천재
바보
그리고 남자와 여자를 나누고, 적과
동지를 나누지.
흥!

아라야식의 저장 창고에 있는 수많은 씨앗 중 '나'에게 맞는 것만 가져다 쓰면서 좋아하고 싫어하며 정상과 비정상을 생각해.
이것이 바로 지식인 거야.
知識
이러한 마음을 끊임없이 이어 가며(상속식) 좋아하거나 싫어하는 것 혹은 정상과 비정상에 집착해(집취상).
꺄악! 저 오빠 멋져!
재 완전 싫어!
저 게임은 정말 재미있어.
게다가 좋아하고 싫어하는 것에 이름과 의미를 부여하지(계명자상).
넌 이제부터 렉스야. 세상에서 제일 센 공룡이지….
싫다고 생각하는 애를 따돌리거나, 다른 사람을 무시하는 말과 행동을 하며(기업상)
저리 가!
저 천하에 쓸모없는 놈!
생각, 말, 행동의 결과로 고통을 받게 돼(업계고상).
행동
생각
말
이 과정은 한 번으로 끝나는 것이 아니라 끊임없이 반복돼.
쾅
쾅
쾅
감자와 고구마는 서로 다를 뿐 어느 것이 옳거나 그르지 않아.
생각도 마찬가지야. 내 생각에만 집착하면 생선 냄새에 찌든 새끼줄이 될 수도 있어.
어우! 비린내~!

그럼 마음을 깨끗하게 하는 정법훈습은 무엇이 다를까?
쏴아아아
우선 어떻게 훈습해야 마음이 깨끗해지고, 그 마음을 유지할 수 있는지 생각해 보자.
일단 목욕을 깨끗이 하고~.
염법훈습은 무명에 영향을 받는 것이라고 했지?
드르륵
정법훈습은 우리의 깨끗한 본래 마음인 진여가 영향을 미쳐.
진여
인간의 마음에는 부처님과 같은 마음인 양심, 즉 진여가 있어.
진여가 작동해 무명에 영향을 주면 어리석고 무지한 마음이 깨끗하게 바뀌게 돼.
무명
진여
진여
내 속에 있는 진여를 닦아 익히는 훈습을 '자체상훈습(自體相薰習)'이라고 해.
진여
이와 달리 외부 환경의 영향으로 진여를 닦아 익히는 훈습을 '용훈습(用薰習)'이라고 하지.
띵
내 속에 있는 진여를 닦아 익힌다는 것은 무엇일까?
진여
혹시 잘못된 행동을 한 후 마음이 찔린 적이나 어려운 사람을 도와주고 싶었던 적 있니?
콕
푹
한 푼만 줍쇼~.
이는 바로 내 속에 있는 진여가 나를 훈습하고 있기 때문이야.
진여
퍽
퍽
이러한 생각, 말, 행동은 인간의 깊은 무의식에 쌓여 씨앗으로 저장되어 있다가 비슷한 상황이 되면 다시 나타나. 그러면 계속해서 깨끗해질 수 있지.
그러려면 무엇보다 내 속에 이미 양심, 즉 진여가 있음을 믿어야 해.
툭
툭
그리고 양심적인 생각과 말, 행동을 자꾸만 해야 하지.
양심
양심
양심

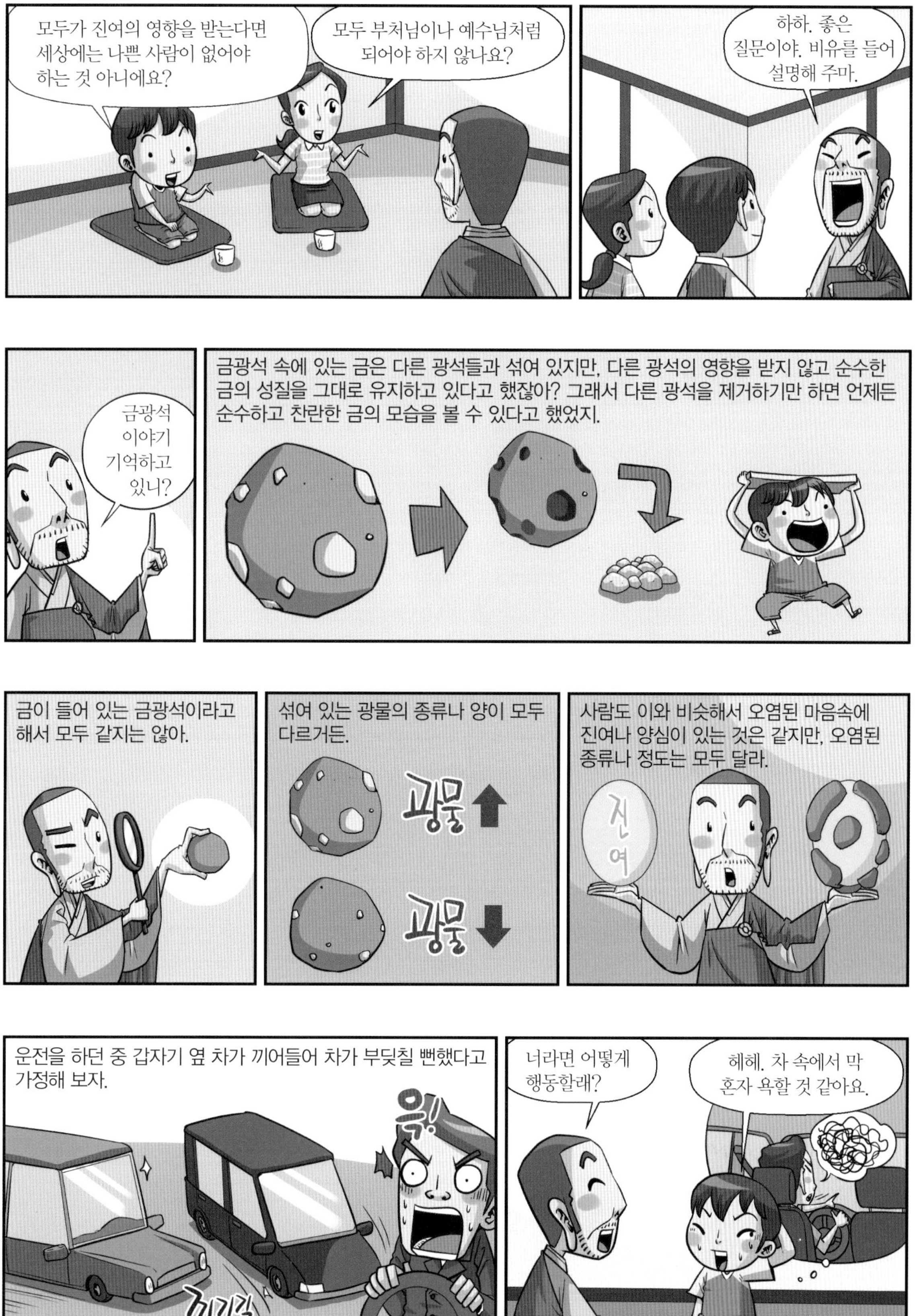
모두가 진여의 영향을 받는다면 세상에는 나쁜 사람이 없어야 하는 것 아니에요?
모두 부처님이나 예수님처럼 되어야 하지 않나요?
하하. 좋은 질문이야. 비유를 들어 설명해 주마.
금광석 이야기 기억하고 있니?
금광석 속에 있는 금은 다른 광석들과 섞여 있지만, 다른 광석의 영향을 받지 않고 순수한 금의 성질을 그대로 유지하고 있다고 했잖아? 그래서 다른 광석을 제거하기만 하면 언제든 순수하고 찬란한 금의 모습을 볼 수 있다고 했었지.
금이 들어 있는 금광석이라고 해서 모두 같지는 않아.
섞여 있는 광물의 종류나 양이 모두 다르거든.
광물
광물
사람도 이와 비슷해서 오염된 마음속에 진여나 양심이 있는 것은 같지만, 오염된 종류나 정도는 모두 달라.
진여
운전을 하던 중 갑자기 옆 차가 끼어들어 차가 부딪칠 뻔했다고 가정해 보자.
윽!
끼기긱
너라면 어떻게 행동할래?
헤헤. 차 속에서 막 혼자 욕할 것 같아요.

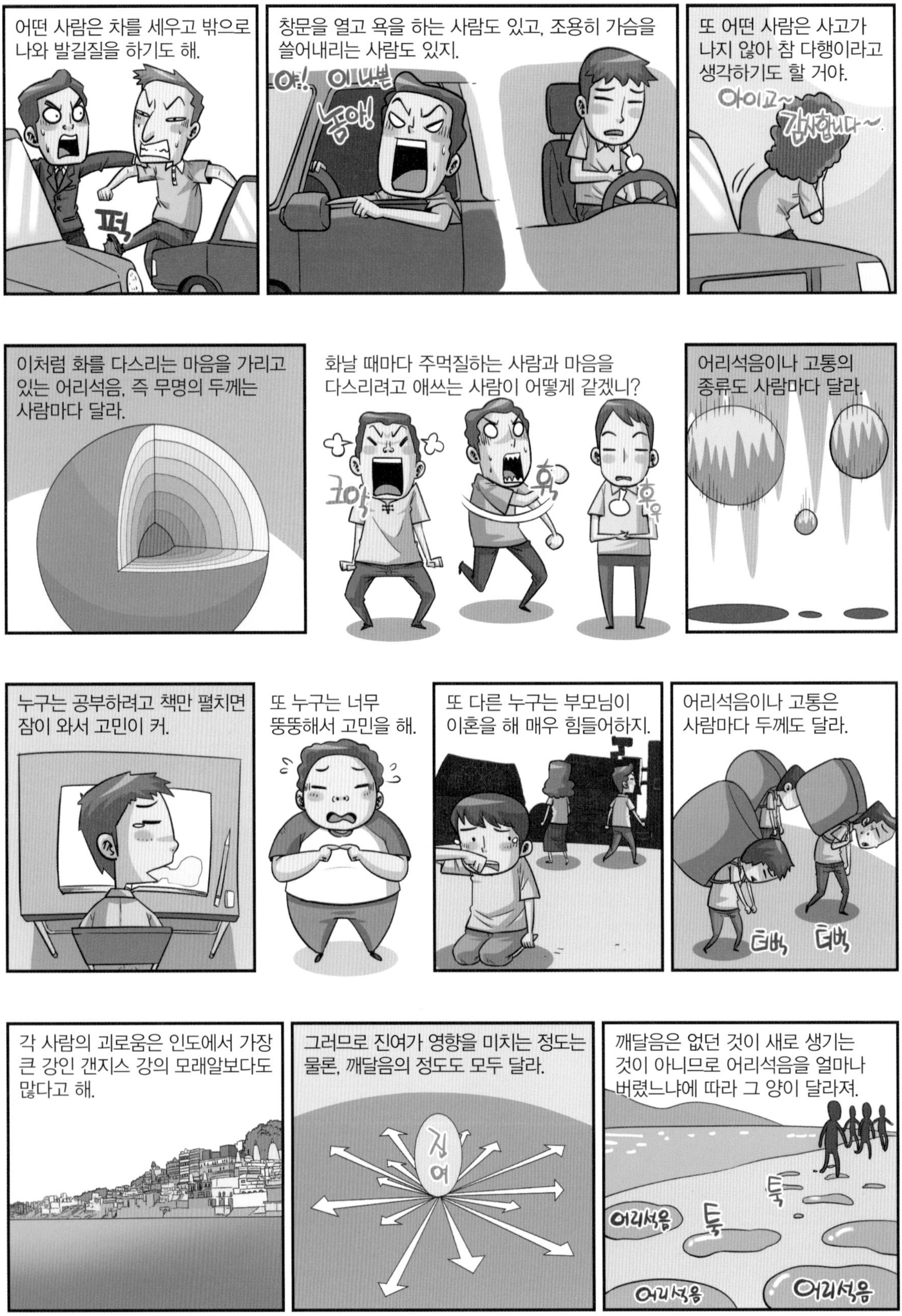

어떤 사람은 차를 세우고 밖으로 나와 발길질을 하기도 해.
퍽
창문을 열고 욕을 하는 사람도 있고, 조용히 가슴을 쓸어내리는 사람도 있지.
야! 이 나쁜 놈아!
또 어떤 사람은 사고가 나지 않아 참 다행이라고 생각하기도 할 거야.
아이고~ 감사합니다~.
이처럼 화를 다스리는 마음을 가리고 있는 어리석음, 즉 무명의 두께는 사람마다 달라.
화날 때마다 주먹질하는 사람과 마음을 다스리려고 애쓰는 사람이 어떻게 같겠니?
크악
헉
후우
어리석음이나 고통의 종류도 사람마다 달라.
누구는 공부하려고 책만 펼치면 잠이 와서 고민이 커.
또 누구는 너무 뚱뚱해서 고민을 해.
또 다른 누구는 부모님이 이혼을 해 매우 힘들어하지.
어리석음이나 고통은 사람마다 두께도 달라.
터벅
터벅
각 사람의 괴로움은 인도에서 가장 큰 강인 갠지스 강의 모래알보다도 많다고 해.
그러므로 진여가 영향을 미치는 정도는 물론, 깨달음의 정도도 모두 달라.
진여
깨달음은 없던 것이 새로 생기는 것이 아니므로 어리석음을 얼마나 버렸느냐에 따라 그 양이 달라져.
툭
툭
어리석음
어리석음
어리석음

나무는 불이 붙으면 타는 성질이 있어.
불! 불!
좌악
반면에 물은 불을 끄지.
콜록
타는 성질이 있다고 해서 항상 나무가 불타고 있는 것은 아니야.
안 그러면 난리 났지.
툭
이처럼 진여의 영향을 받는다고 해서 누구나 부처가 될 수는 없어.
나무가 타려면 누군가 불을 붙이거나 벼락이 쳐서 불이 일어나야 해.
타다닥
나무가 아무리 불에 잘 타는 성질을 가지고 있더라도 불을 피우지 않는다면 스스로 탈 수 없다는 말이야.
우리 마음속의 진여도 외적인 조건과 제대로 만나지 않으면 깨달음에 이를 수 없어.
마음을 닦을 때밀이가 필요해~.
다시 말해 내 속에 있는 진여를 닦아 익히는 자체상훈습과 외부 환경의 영향으로 진여를 닦아 익히는 용훈습이 제대로 만나야만 깨달음에 이를 수 있다는 거야.
진여를 닦는 데 필요한 외적인 조건이란 깨달음을 얻어 부처가 되는 순간까지 만나는 온갖 인연을 말해.
이 인연들 덕분에 더욱 열심히 수행하고, 좋은 일을 하며 좋은 방향으로 변화하는 것이지.
그 인연은 부모님이 될 수도 있고, 선생님 또는 친구가 될 수도 있어.
?

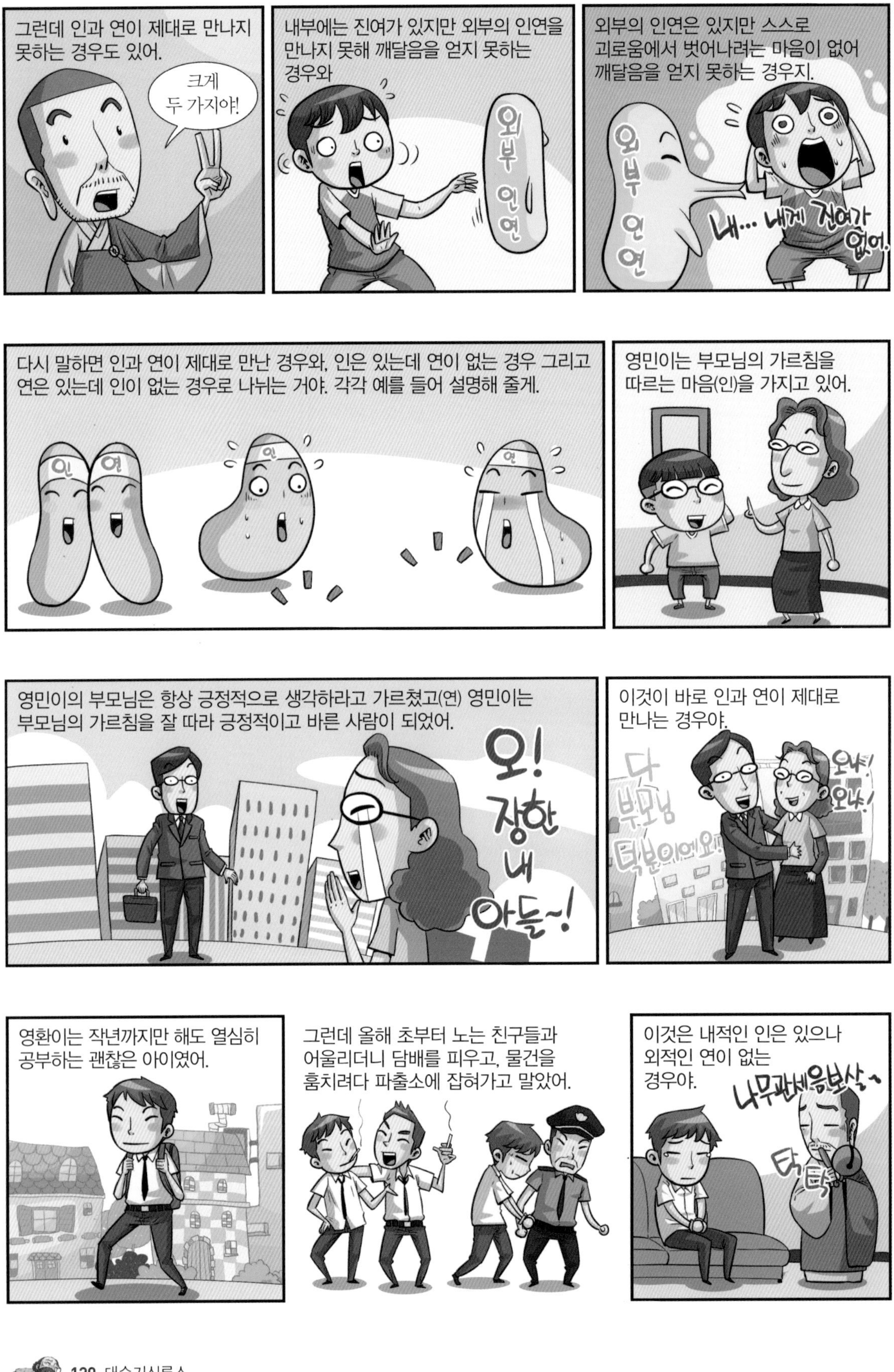
그런데 인과 연이 제대로 만나지 못하는 경우도 있어.
크게 두 가지야!
내부에는 진여가 있지만 외부의 인연을 만나지 못해 깨달음을 얻지 못하는 경우와
외부 인연
외부의 인연은 있지만 스스로 괴로움에서 벗어나려는 마음이 없어 깨달음을 얻지 못하는 경우지.
외부 인연
내... 내게 진여가 없어.
다시 말하면 인과 연이 제대로 만난 경우와, 인은 있는데 연이 없는 경우 그리고 연은 있는데 인이 없는 경우로 나뉘는 거야. 각각 예를 들어 설명해 줄게.
인
연
인
연
영민이는 부모님의 가르침을 따르는 마음(인)을 가지고 있어.
영민이의 부모님은 항상 긍정적으로 생각하라고 가르쳤고(연) 영민이는 부모님의 가르침을 잘 따라 긍정적이고 바른 사람이 되었어.
오! 장한 내 아들~!
이것이 바로 인과 연이 제대로 만나는 경우야.
다 부모님 덕분이에요!
오냐! 오냐!
영환이는 작년까지만 해도 열심히 공부하는 괜찮은 아이였어.
그런데 올해 초부터 노는 친구들과 어울리더니 담배를 피우고, 물건을 훔치려다 파출소에 잡혀가고 말았어.
이것은 내적인 인은 있으나 외적인 연이 없는 경우야.
나무관세음보살~
탁 탁

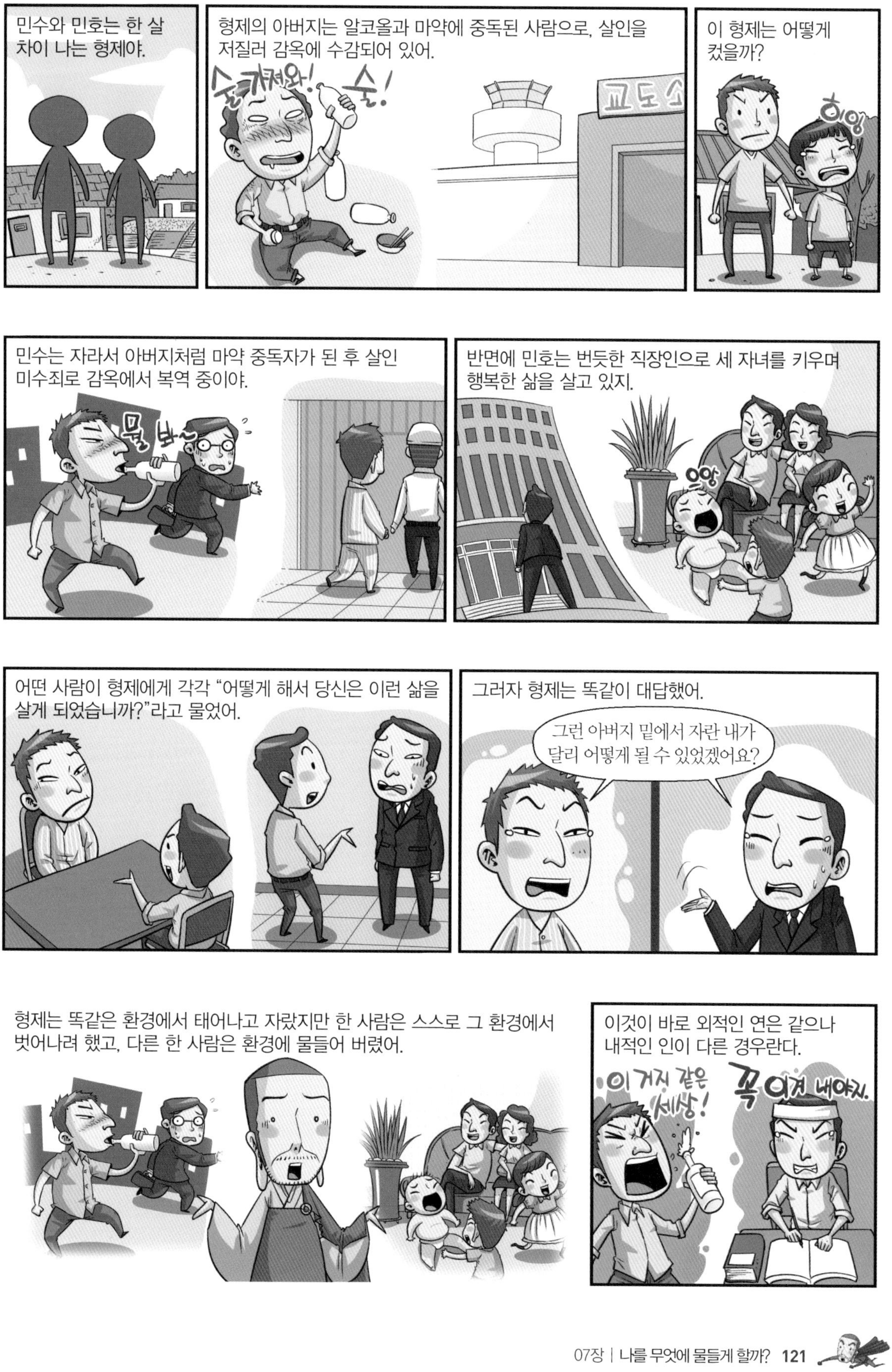

민수와 민호는 한 살 차이 나는 형제야.
형제의 아버지는 알코올과 마약에 중독된 사람으로, 살인을 저질러 감옥에 수감되어 있어.
술 가져와!
술!
교도소
이 형제는 어떻게 컸을까?
히잉
민수는 자라서 아버지처럼 마약 중독자가 된 후 살인 미수죄로 감옥에서 복역 중이야.
뭘 봐~
반면에 민호는 번듯한 직장인으로 세 자녀를 키우며 행복한 삶을 살고 있지.
으앙
어떤 사람이 형제에게 각각 "어떻게 해서 당신은 이런 삶을 살게 되었습니까?"라고 물었어.
그러자 형제는 똑같이 대답했어.
그런 아버지 밑에서 자란 내가 달리 어떻게 될 수 있었겠어요?
형제는 똑같은 환경에서 태어나고 자랐지만 한 사람은 스스로 그 환경에서 벗어나려 했고, 다른 한 사람은 환경에 물들어 버렸어.
이것이 바로 외적인 연은 같으나 내적인 인이 다른 경우란다.
이 거지 같은 세상!
꼭 이겨 내야지.

8장 마음이 위대한 세 가지 이유

8장
마음이 위대한 세 가지 이유
大 大 大

일심(一心)과 이문(二門) 그리고 삼대(三大)의 관계는 한마디로 다음과 같아.

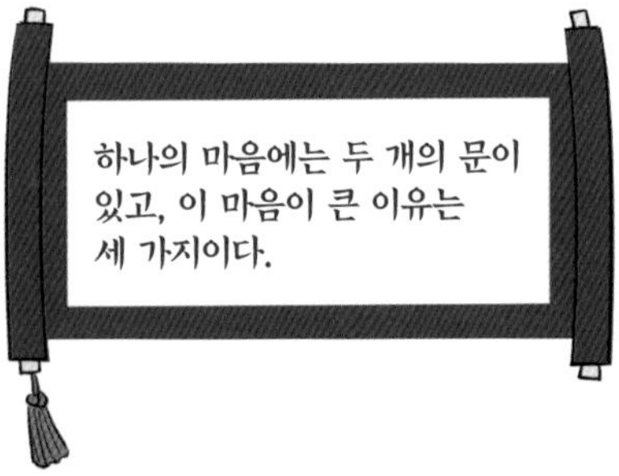

하나의 마음에는 두 개의 문이 있고, 이 마음이 큰 이유는 세 가지이다.

지금까지는 일심과 이문에 대해 설명했어. 이번 장에서는 삼대에 대해 알아볼 거야.
三大란 무엇인가?

삼대에서 '대(大)' 자는 크다는 뜻보다는 위대하다는 뜻에 가까워.

삼대는 '마음이 위대한 세 가지 이유'로 풀이할 수 있어.
마음

마음이라는 것은 좁히면 바늘 하나 꽂을 자리가 없지만 넓히면 온 우주가 다 들어가도 텅 비게 되니, 마음을 크게 쓰고 살아야 한다는 말이 있어.

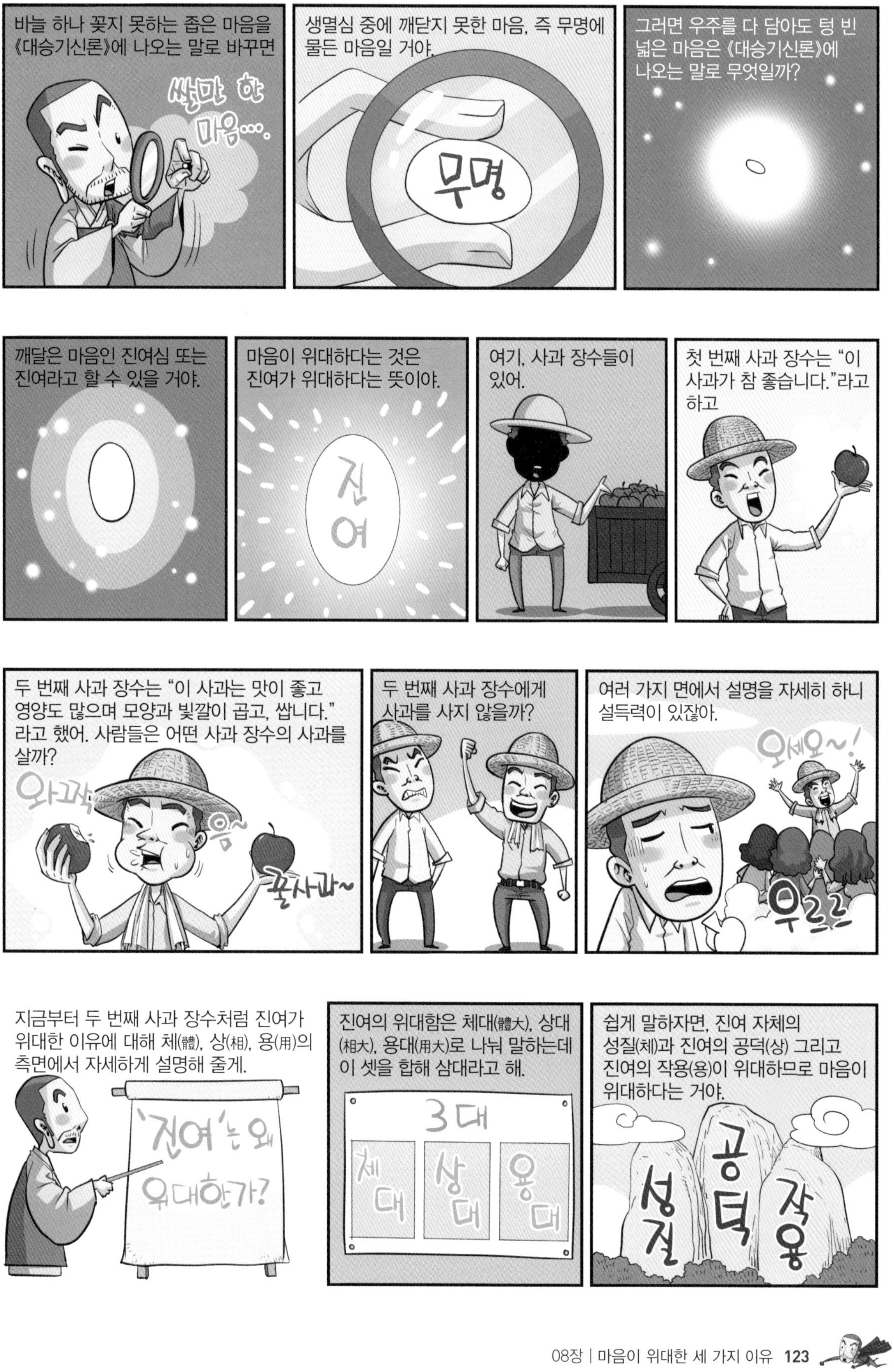
바늘 하나 꽂지 못하는 좁은 마음을 《대승기신론》에 나오는 말로 바꾸면
쌀알만 한 마음….
생멸심 중에 깨닫지 못한 마음, 즉 무명에 물든 마음일 거야.
무명
그러면 우주를 다 담아도 텅 빈 넓은 마음은 《대승기신론》에 나오는 말로 무엇일까?
깨달은 마음인 진여심 또는 진여라고 할 수 있을 거야.
마음이 위대하다는 것은 진여가 위대하다는 뜻이야.
진여
여기, 사과 장수들이 있어.
첫 번째 사과 장수는 "이 사과가 참 좋습니다."라고 하고
두 번째 사과 장수는 "이 사과는 맛이 좋고 영양도 많으며 모양과 빛깔이 곱고, 쌉니다." 라고 했어. 사람들은 어떤 사과 장수의 사과를 살까?
와고작
음~
꿀사과~
두 번째 사과 장수에게 사과를 사지 않을까?
여러 가지 면에서 설명을 자세히 하니 설득력이 있잖아.
오세요~!
우르르
지금부터 두 번째 사과 장수처럼 진여가 위대한 이유에 대해 체(體), 상(相), 용(用)의 측면에서 자세하게 설명해 줄게.
'진여'는 왜 위대한가?
진여의 위대함은 체대(體大), 상대(相大), 용대(用大)로 나눠 말하는데 이 셋을 합해 삼대라고 해.
3대
체대
상대
용대
쉽게 말하자면, 진여 자체의 성질(체)과 진여의 공덕(상) 그리고 진여의 작용(용)이 위대하므로 마음이 위대하다는 거야.
성질
공덕
작용

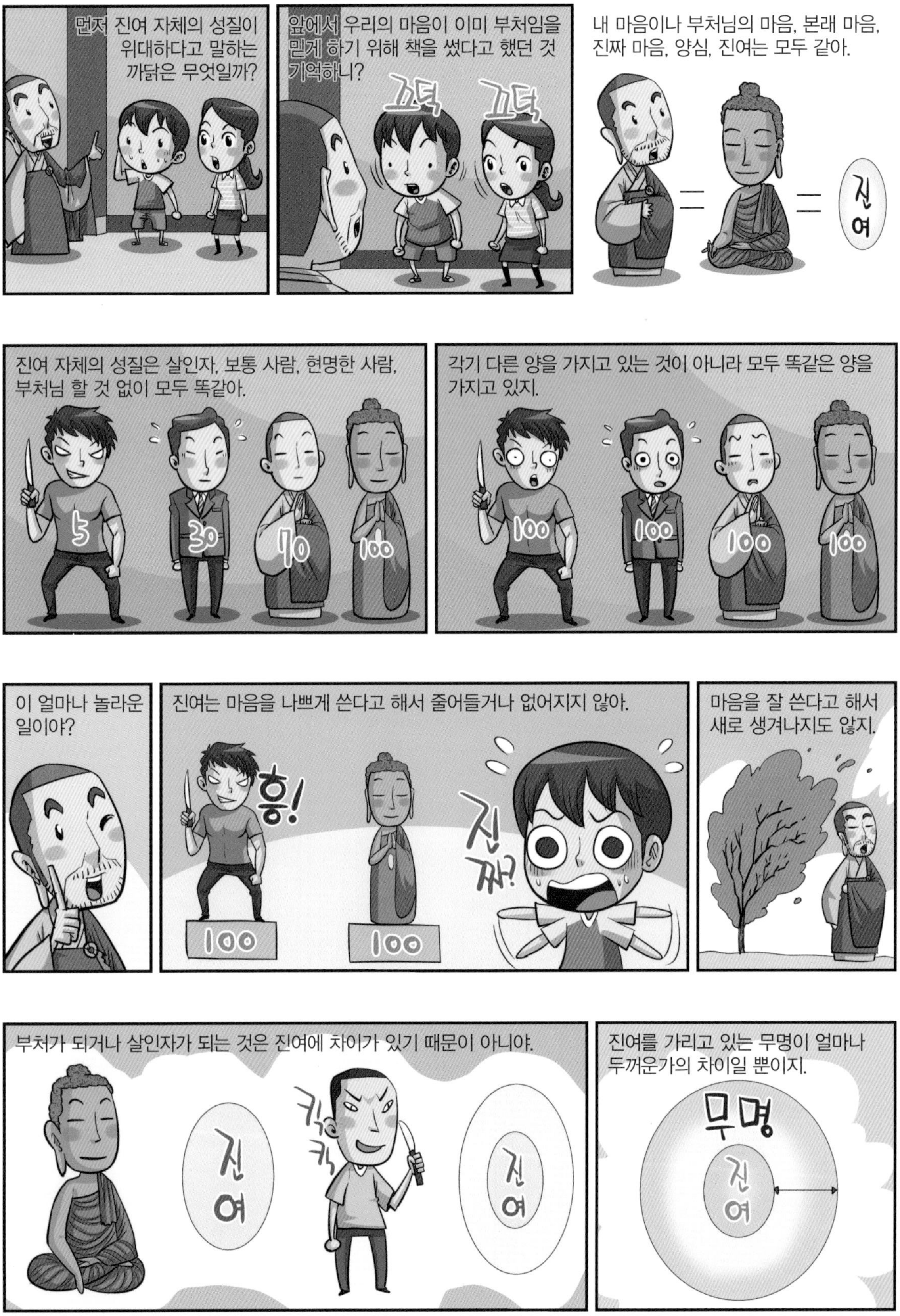
먼저 진여 자체의 성질이 위대하다고 말하는 까닭은 무엇일까?
앞에서 우리의 마음이 이미 부처임을 믿게 하기 위해 책을 썼다고 했던 것 기억하니?
끄덕
끄덕
내 마음이나 부처님의 마음, 본래 마음, 진짜 마음, 양심, 진여는 모두 같아.
=
=
진여
진여 자체의 성질은 살인자, 보통 사람, 현명한 사람, 부처님 할 것 없이 모두 똑같아.
5
30
70
100
각기 다른 양을 가지고 있는 것이 아니라 모두 똑같은 양을 가지고 있지.
100
100
100
100
이 얼마나 놀라운 일이야?
진여는 마음을 나쁘게 쓴다고 해서 줄어들거나 없어지지 않아.
흥!
100
100
진짜?
마음을 잘 쓴다고 해서 새로 생겨나지도 않지.
부처가 되거나 살인자가 되는 것은 진여에 차이가 있기 때문이 아니야.
진여
킥킥
진여
진여를 가리고 있는 무명이 얼마나 두꺼운가의 차이일 뿐이지.
무명
진여

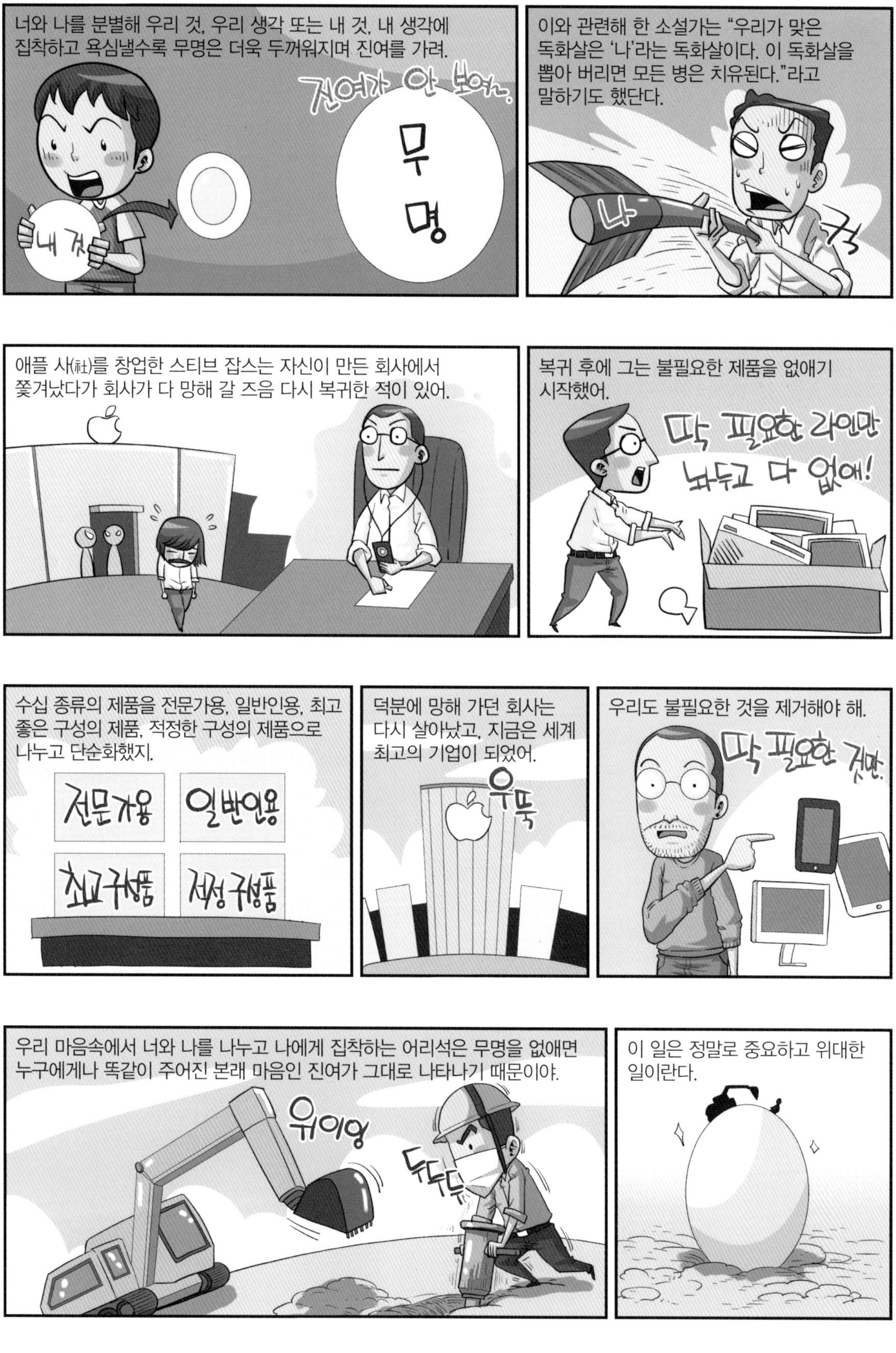

너와 나를 분별해 우리 것, 우리 생각 또는 내 것, 내 생각에 집착하고 욕심낼수록 무명은 더욱 두꺼워지며 진여를 가려.
진여가 안 보여~.
무명
내 것
이와 관련해 한 소설가는 "우리가 맞은 독화살은 '나'라는 독화살이다. 이 독화살을 뽑아 버리면 모든 병은 치유된다."라고 말하기도 했단다.
나
애플 사(社)를 창업한 스티브 잡스는 자신이 만든 회사에서 쫓겨났다가 회사가 다 망해 갈 즈음 다시 복귀한 적이 있어.
복귀 후에 그는 불필요한 제품을 없애기 시작했어.
딱 필요한 라인만 놔두고 다 없애!
수십 종류의 제품을 전문가용, 일반인용, 최고 좋은 구성의 제품, 적정한 구성의 제품으로 나누고 단순화했지.
전문가용
일반인용
최고 구성품
적정 구성품
덕분에 망해 가던 회사는 다시 살아났고, 지금은 세계 최고의 기업이 되었어.
우뚝
우리도 불필요한 것을 제거해야 해.
딱 필요한 것만.
우리 마음속에서 너와 나를 나누고 나에게 집착하는 어리석은 무명을 없애면 누구에게나 똑같이 주어진 본래 마음인 진여가 그대로 나타나기 때문이야.
위이잉
두두두
이 일은 정말로 중요하고 위대한 일이란다.

마음이 위대한 두 번째 이유는 마음이 아주 큰 공덕을 가지고 있기 때문이야.
공덕
'공덕'은 착한 일을 많이 한 공과 부처님의 가르침을 닦은 덕을 말해.
공덕의 '덕(德)' 자는 예전에는 '얻을 득(得)' 자와 같이 쓰였다고 해. 덕을 베푸는 것이 곧 얻는 것임을 알 수 있어.
진여를 회복하면 어떤 이득이 있을까? 다시 말해 깨달음을 얻으면 무엇이 좋을까?
진여를 회복하면 갠지스 강의 모래알보다 더 많은 이득을 얻게 돼.
진여를 태양에 비유하면 쉽게 이해할 수 있을 거야.
아무리 성능 좋은 전등이라도 순식간에 어둠을 물리칠 수는 없어.
모든 곳을 고루 비출 수 없거든.
그러나 태양은 순식간에 어둠을 물리쳐.
태양이 떠오르면 모든 어둠이 물러가고 세상이 밝아지지.
와~
진여를 회복하는 일도 이와 같아.
진여
한순간에 무명을 사라지게 하는 큰 지혜의 환한 빛을 얻을 수 있지.
진여
그래서 진여를 '대지혜광명(大智慧光明)' 이라고도 부른단다.

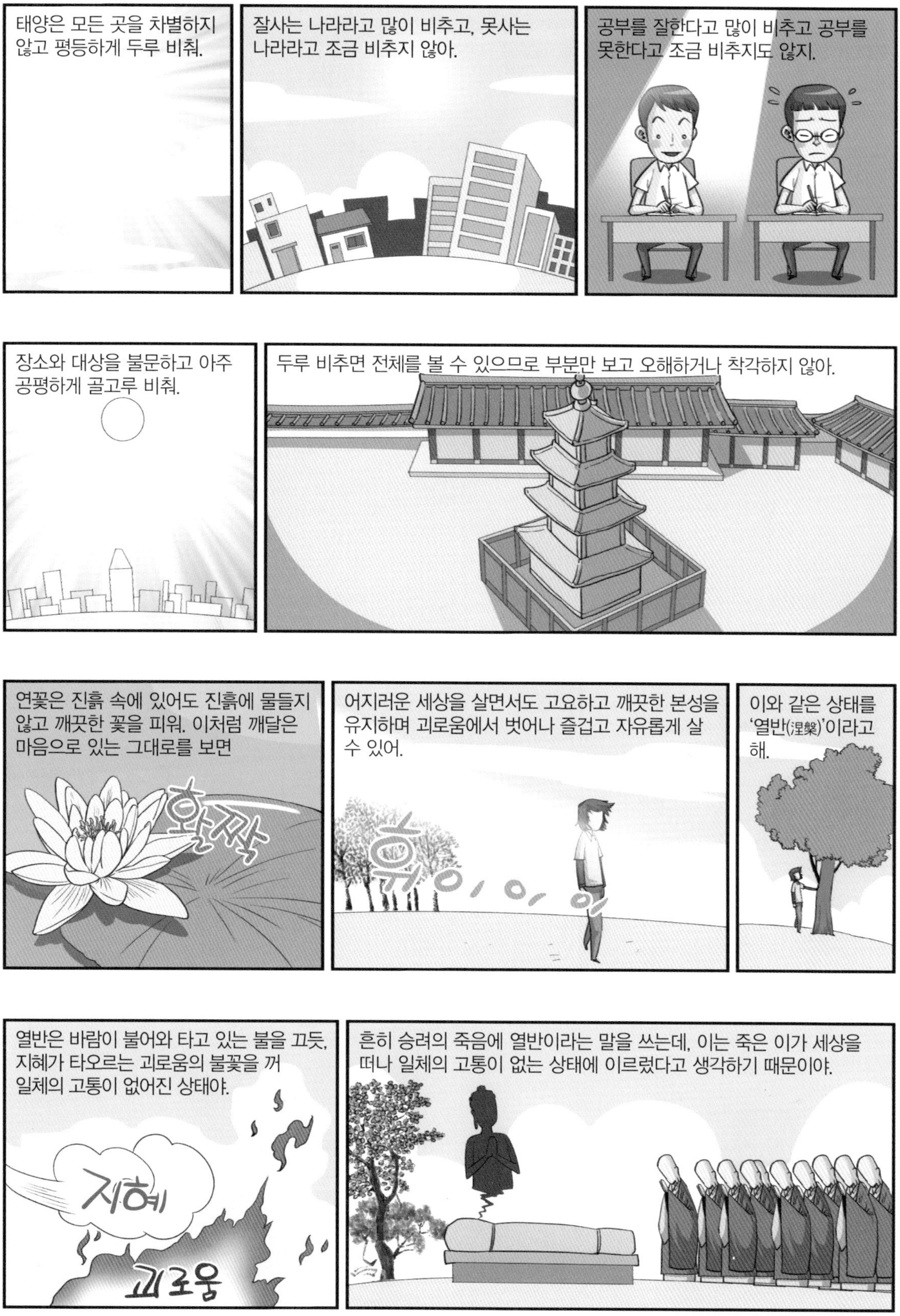

태양은 모든 곳을 차별하지 않고 평등하게 두루 비춰.
잘사는 나라라고 많이 비추고, 못사는 나라라고 조금 비추지 않아.
공부를 잘한다고 많이 비추고 공부를 못한다고 조금 비추지도 않지.
장소와 대상을 불문하고 아주 공평하게 골고루 비춰.
두루 비추면 전체를 볼 수 있으므로 부분만 보고 오해하거나 착각하지 않아.
연꽃은 진흙 속에 있어도 진흙에 물들지 않고 깨끗한 꽃을 피워. 이처럼 깨달은 마음으로 있는 그대로를 보면
활짝
어지러운 세상을 살면서도 고요하고 깨끗한 본성을 유지하며 괴로움에서 벗어나 즐겁고 자유롭게 살 수 있어.
이와 같은 상태를 '열반(涅槃)'이라고 해.
열반은 바람이 불어와 타고 있는 불을 끄듯, 지혜가 타오르는 괴로움의 불꽃을 꺼 일체의 고통이 없어진 상태야.
지혜
괴로움
흔히 승려의 죽음에 열반이라는 말을 쓰는데, 이는 죽은 이가 세상을 떠나 일체의 고통이 없는 상태에 이르렀다고 생각하기 때문이야.

진여는 이처럼 큰 공덕을 가지고 있어.
진여
단지 무명으로 말미암아 온 우주가 연결되어 서로 영향을 주고받는 존재라는 것을 알지 못할 뿐이지.
내 것이 중요하지.
무명은 세상을 나와 내가 아닌 것으로 나누어 이분법적으로 생각하게 만들어. 이는 진여의 공덕을 제대로 작용하지 못하게 하지.
너
너
나
너
너
너
너
무명에 물들면 마음이 평화롭지 못하고 들떠. 그러면 삶을 제대로 알 수 없고, 고요하고 깨끗한 본성을 잃게 돼.
으악
여긴 어디야?
이렇게 되면 삶은 즐겁지 않고 괴로움은 갈수록 늘어나. 고통의 굴레 속에서 늙어 가니 자유로운 삶도 살 수 없지.
고통
끄악
다다다다
부처님의 가르침은 어렵게 생각할 필요가 없어. 스스로의 삶을 한번 봐.
나의 삶
열심히 노력하고 있는데 갈수록 괴로움이 커지고 있지는 않니?
아니면 갈수록 사는 것이 평화롭고 기쁘며 자유롭니?
괴로움이 커지는 삶이라면 무명이 진여의 공덕을 가리고 있는 것이므로 삶의 방향을 전환해야 해.
터닝 포인트
괴로운 삶
기쁜 삶
반면에 갈수록 기쁨이 커지는 삶이라면 지금처럼 진여의 공덕을 잘 살리며 살면 되지.

그럼 진여의 작용이 위대하다는 말은 무슨 뜻일까?
지이잉
진여의 작용은 부처들이 큰 자비심으로 중생을 가르쳐 모두가 열반의 삶을 살도록 도와주는 것을 말해.
열반
부처들이 구하고자 하는 중생은 어느 특정한 세계나 시대의 중생이 아니라 모든 세계, 모든 시대의 중생이야.
열 반
왜 부처가 아니라 부처들이라고 하는 건가요?
부처님은 한 분 아닌가요?
위이잉
부처(Buddha)는 깨달은 사람을 일컫는 말이야. 누구든지 깨달음을 얻으면 부처가 될 수 있지.
말은 쉬운데….
보통 부처님이라 하면 '석가모니 부처님'을 말해. 석가모니는 지금으로부터 약 2,600년 전에 살았던 석가 족 출신의 성자로, 여러 부처 중 하나야.
우리 모두의 마음속에는 부처님의 마음과 똑같은 마음, 즉 진여가 있어.
진여
진여가 제대로 작동하기만 하면 누구나 부처가 될 수 있지.
부처 되는 길
진여는 어떤 실체가 있는 것이 아니야.
진여
잡을 수 없고 볼 수 없으며 만지거나 설명할 수도 없지.
진여
그래서 '공(空)'으로 표현한다고 앞에서도 설명했었지.
空

공을 아무것도 없는 것으로 생각하면 곤란해.
그것은 공의 진정한 의미가 아니거든.
그럼 뭔데?
딸꾹
공은 모든 존재의 모습을 설명하는 개념으로, 애초부터 말로는 온전히 설명할 수 있는 것이 아니야.
비틀
비틀
공은 무아(無我)이자 무상(無常)이라고 했지?
無 我
없을 무 나 아
無 常
없을 무 항상 상
'나'라고 할 만한 것이 없고, 변하지 않는 것이 없다는 뜻이지.
그래서 깨달은 사람은 모든 존재의 모습을 환하게 보고, 모든 존재가 서로 영향을 주고받으며 끊임없이 변화하고 있음을 아는 사람이라고 할 수 있어.
편견이나 선입견, 고정 관념 없이 그냥 있는 그대로를 아는 사람이 바로 부처인 거야.
커다란 바위에 세 부처를 모시면 '삼존불(三尊佛)'이라고 해. 천 명의 부처를 모시면 '천불상(千佛像)', 만 명의 부처를 모시면 '만불상(萬佛像)'이라고 하지.
그래서 절에 가면 부처가 한 명뿐인 경우도 있지만 만 명씩 있는 경우도 있어.

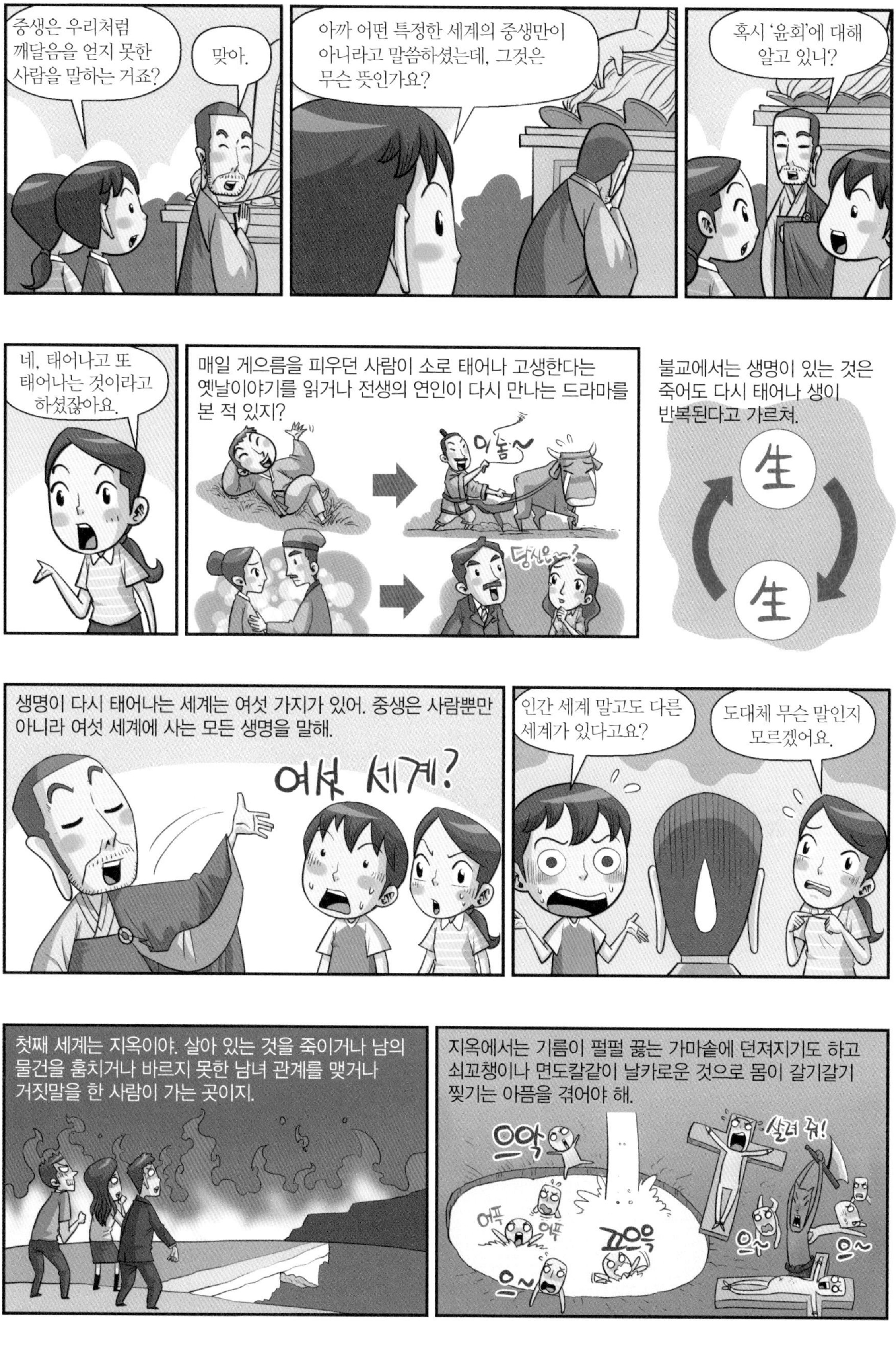
중생은 우리처럼 깨달음을 얻지 못한 사람을 말하는 거죠?
맞아.
아까 어떤 특정한 세계의 중생만이 아니라고 말씀하셨는데, 그것은 무슨 뜻인가요?
혹시 '윤회'에 대해 알고 있니?
네, 태어나고 또 태어나는 것이라고 하셨잖아요.
매일 게으름을 피우던 사람이 소로 태어나 고생한다는 옛날이야기를 읽거나 전생의 연인이 다시 만나는 드라마를 본 적 있지?
이놈~
당신은~?
불교에서는 생명이 있는 것은 죽어도 다시 태어나 생이 반복된다고 가르쳐.
生
生
생명이 다시 태어나는 세계는 여섯 가지가 있어. 중생은 사람뿐만 아니라 여섯 세계에 사는 모든 생명을 말해.
여섯 세계?
인간 세계 말고도 다른 세계가 있다고요?
도대체 무슨 말인지 모르겠어요.
첫째 세계는 지옥이야. 살아 있는 것을 죽이거나 남의 물건을 훔치거나 바르지 못한 남녀 관계를 맺거나 거짓말을 한 사람이 가는 곳이지.
지옥에서는 기름이 펄펄 끓는 가마솥에 던져지기도 하고 쇠꼬챙이나 면도칼같이 날카로운 것으로 몸이 갈기갈기 찢기는 아픔을 겪어야 해.
으악
살려 줘!
어푸
어푸
끄으윽
으~
으~
으~

둘째 세계는 아귀들이 사는 배고픔의 세계야. 남에게 베풀 줄 모르는 인색한 사람들이 가는 곳이지.
아귀의 배는 *수미산만 한데 목구멍은 바늘구멍만 해서 먹어도 늘 배가 고파. 어쩌다 밥알 하나라도 그냥 넘기면 좁은 목구멍에 걸리니 그 고통은 말로 다 표현할 수 없어.

* 수미산(須彌山): 불교의 우주관에서 세계의 중앙에 있다는 산.

셋째 세계는 축생의 세계야. 소나 말, 돼지 등 온갖 동물이 사는 곳이지. 어리석은 짓을 많이 하는 사람들이 가는 세계야.
히히힝
으악
뿡
퍽
꿀꿀
음매~
꿀꿀
으르렁
퍽
넷째 세계는 아수라의 세계야. 이곳에서는 싸움이 끊이지 않아. 잘난 척하고 늘 자기를 내세우는 사람들이 가는 세계야. 축생의 세계보다 지혜는 있지만 '나'라는 의식이 강해 고통이 매우 심한 세계지.
씩씩
퍽
퍽
크아악
으아아
으~
퍽
다섯째 세계는 우리가 살고 있는 인간 세계야.
그리고 여섯째 세계는 신들이 사는 천계(天界)로, 하늘의 세계야. 인간 세계보다 괴로움이 적고 평화로우며 즐거움이 많은 세계란다.

그럼 앞에서 말씀하신 특정한 시대는 어떤 시대인가요?
그것은 여러 겁 동안 미래 세상이 다하는 시간을 말해.
'겁'이란 아주 긴 시간을 의미해.
지구를 겁나 많이 돌았어.
가로와 세로의 높이가 각각 8킬로미터인 쇠로 만든 성이 있다고 가정해 보자. 그 성 안에 씨 중에서도 매우 작은 겨자씨를 가득 채워 놓았어.
어떤 사람이 그 씨를 100년에 한 알씩 집어내는데 그 씨를 다 꺼내도 1겁이 끝나지 않아.
겁은 정말 상상도 못 할 정도로 긴 시간이군요.
백 년에 한 알씩?
또 가로와 세로의 높이가 각각 8킬로미터인, 깨지거나 허물어지지 않는 큰 돌산이 있다고 가정해 봐. 어떤 사람이 솜털로 100년에 한 번씩 쓸어 그 돌산이 닳아 없어져도 1겁은 끝나지 않아.
8 Km
8 Km
헉!
우아, 대단해요! 불교에서 생각하는 시간과 공간은 그 규모가 정말 엄청나네요.

특히 겁에 대한 이야기를 들으니 비행기에서 땅을 내려다보는 것처럼 세상이 작게만 느껴져요.
와! 사람이 점으로 보여!
제가 지금 알고 있는 시간과 공간, 지식은 실제로 존재하는 모든 것의 몇 퍼센트나 될까요?
그동안 잘난 체했던 일들이 정말로 부끄러워져요!
부처들은 인간뿐만 아니라 모든 생명이 열반을 얻어 괴로움에서 벗어날 수 있도록 언제까지고 도와줘.
그게 진여의 작용이란다.
그런데 왜 그렇게 하는 거예요?
아하하
깨달은 사람은 모든 중생이 자신과 한 몸이라는 사실을 알기 때문이야.
모든 중생은 부처님의 몸과 한 몸이야.
만약에 팔에 상처를 입어 피가 나고 고름이 흐른다면 어떻게 할래?
아야!

빨리 상처를 치료해야죠!
그냥 두면 상처가 덧나거나 고통이
더 심해질 것 아니에요!
만약에 다른 사람의 팔에 상처가 났다면 위로하거나 병원을
소개하는 정도였을 거야. 무관심할 수도 있지.
후우
그러나 내 팔은 내 몸이고, 나 자체이기 때문에
치료를 하지 않을 수 없어.
빨리 치료해 줘요~
치료하지 않으면 고통이
갈수록 심해질 테니까.
비틀
쿵
깨달은 사람은 중생의 고통을
자신의 고통과 같이 여겨. 어찌
고통을 없애기 위해 노력하지
않겠어?
다다다다다
나와 다른 사람이 한 몸이라니,
이해하기 어려워요.
나와 다른 존재가 한 몸이라는 것을
알면 깨달음을 얻게 될까요?
또 깨달은 사람이 중생을 구제하는
것을 우리가 알 수 있을까요?
깨닫지 못한 보통의 사람이나 *성문과 *연각 수행자들은
부처님이 직접 나타나 중생을 돕는다고 생각해.
이들은 석가모니 부처님이 2,600년 전에 가르침을
주고 중생을 구제한 것처럼 미래에는 미륵불이
나타나 중생을 고통에서 건질 것이라고 믿어.

* 성문(聲聞): 부처님의 말씀을 듣고 깨달은 수행자.
* 연각(緣覺): 스스로 깨달음을 얻은 수행자.
– 성문과 연각은 소승 불교의 수행자를 가리키는 말이다.

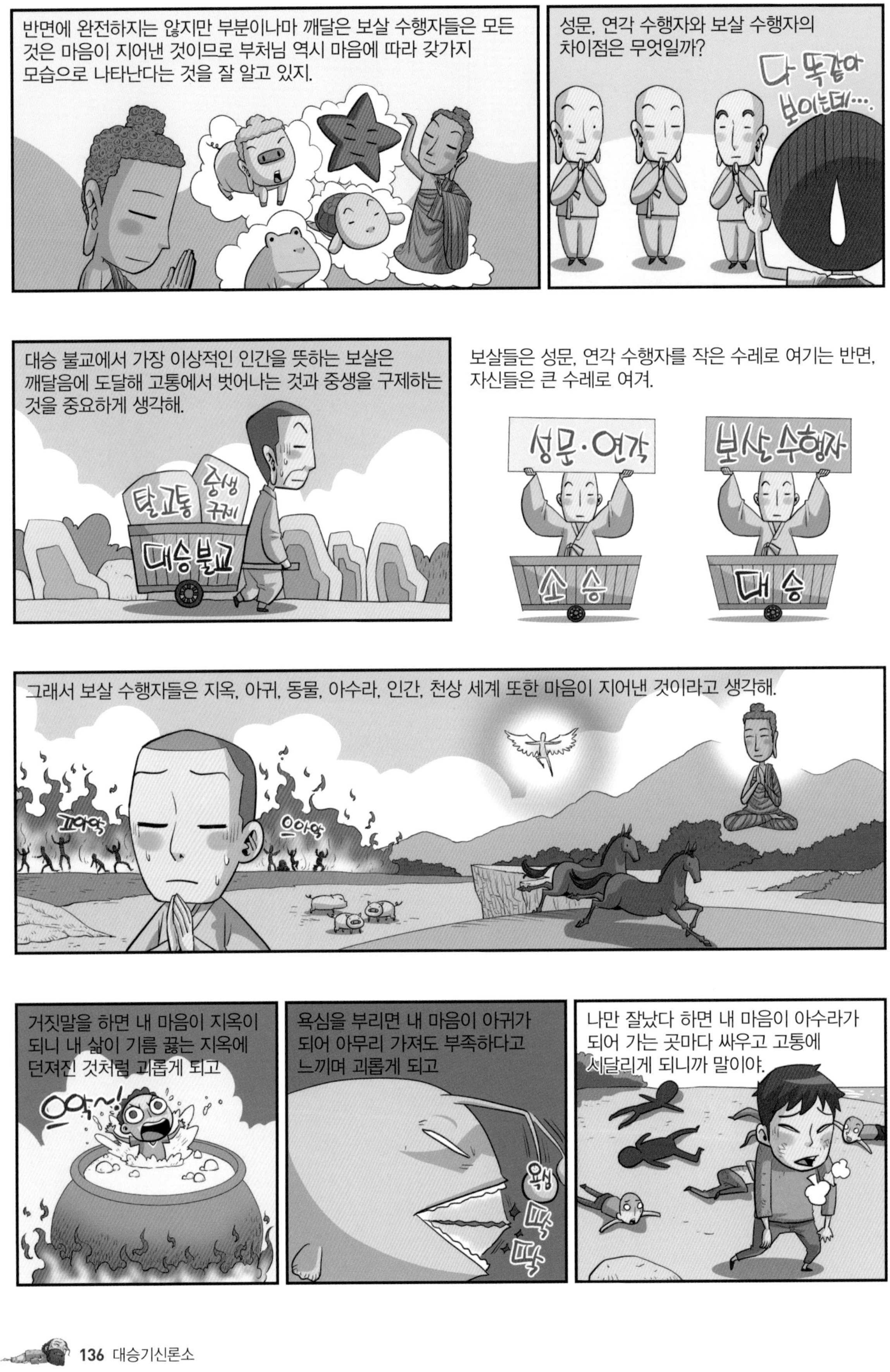
반면에 완전하지는 않지만 부분이나마 깨달은 보살 수행자들은 모든 것은 마음이 지어낸 것이므로 부처님 역시 마음에 따라 갖가지 모습으로 나타난다는 것을 잘 알고 있지.
성문, 연각 수행자와 보살 수행자의 차이점은 무엇일까?
다 똑같아 보이는데….
대승 불교에서 가장 이상적인 인간을 뜻하는 보살은 깨달음에 도달해 고통에서 벗어나는 것과 중생을 구제하는 것을 중요하게 생각해.
탈고통
중생 구제
대승불교
보살들은 성문, 연각 수행자를 작은 수레로 여기는 반면, 자신들은 큰 수레로 여겨.
성문·연각
소승
보살 수행자
대승
그래서 보살 수행자들은 지옥, 아귀, 동물, 아수라, 인간, 천상 세계 또한 마음이 지어낸 것이라고 생각해.
끄아악
으아악
거짓말을 하면 내 마음이 지옥이 되니 내 삶이 기름 끓는 지옥에 던져진 것처럼 괴롭게 되고
으악~!
욕심을 부리면 내 마음이 아귀가 되어 아무리 가져도 부족하다고 느끼며 괴롭게 되고
욕심
딱
딱
나만 잘났다 하면 내 마음이 아수라가 되어 가는 곳마다 싸우고 고통에 시달리게 되니까 말이야.

깨달은 사람에 관한 일화 하나 소개해 줄까?
조선을 건국한 태조 이성계가 어느 날 신하들에게 성대한 잔치를 베풀었어.
이성계는 신하들에게 임금과 신하의 예의에서 벗어나 재미있게 놀자고 제안한 후 무학 대사에게 "내가 보기에 대사는 돼지 같구려!"라고 농을 걸었어.
그러자 무학 대사는 "내가 보기에 왕께서는 부처 같소이다."라고 대답했지.
스님 아니랄까 봐.
이성계는 농담하고 있는 중에 흥을 깬다며 실망하는 눈치를 보였어.
센스 없기는.
이에 무학 대사는 크게 웃으며 "돼지의 눈으로 보면 상대가 돼지요, 부처의 눈으로 보면 상대가 부처인 것이지요."라고 말했어.
이성계는 무안해했고, 좌중은 큰 웃음바다가 되었지.
하하하
와하하
이성계는 보통 사람의 눈으로 세상을 보았지만 무학 대사는 깨달은 사람의 눈으로 세상을 본 거야.
보통 눈
깨달음
돼지의 눈에는 돼지만 보이고, 부처의 눈에는 부처만 보이는 법이거든.
에?
돼…돼지로 보여!

9장 깨달음으로 나아가는 단계

우리는 지금까지 마음이 어떻게
작동하고 왜 위대한지 공부했어.

마음

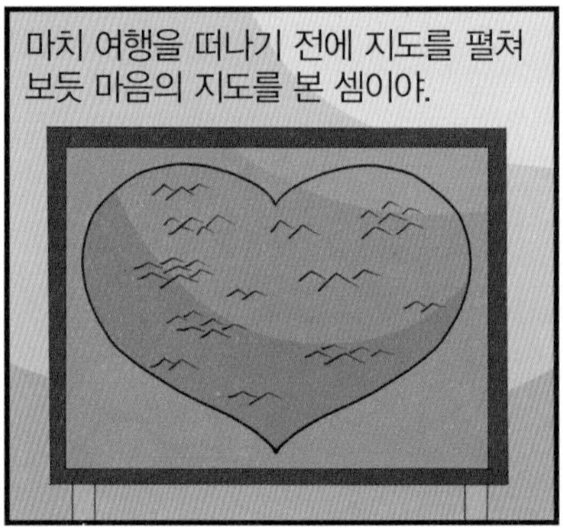
마치 여행을 떠나기 전에 지도를 펼쳐
보듯 마음의 지도를 본 셈이야.

지도를 충분히 봤다면 실제로
여행을 떠나야겠지?
Let's Go!

여행을 떠날 때 가장 먼저 할 일은
바로 여행을 가기로 마음먹는 거야.
빨리
가자고요~!
준비됐지?
끼익

아침에 일찍 일어나려면 일찍
일어나려는 마음을 먹어야 하고
말똥
말똥

1등을 하려면 시험에서 1등 하겠다는
마음을 먹어야 하는 것처럼 말이야.
드르렁
드르렁

마음먹는 것은 출발점이 되고, 어떤 마음을 먹는가는 방향을 결정하는 것과 같아.
출발점
불교에서는 마음먹는 것을 '쏠 발(發)', '마음 심(心)' 자를 써서 '발심'한다고 해.
펑
心
특히 깨달음을 얻어 중생을 구제하려고 마음먹는 것을 두고 발심한다고 하지.
내가 구제하고 말 거야!
발심은 세 가지로 나눌 수 있어.
1, 2, 3
첫째는 대승에 대한 믿음을 성취하고, 수행하고자 마음먹는 것이야. 이를 '신성취발심(信成就發心)'이라고 해.
이 수레를 끌면 되는 거야.
대승
둘째는 이해하고 실천하면서 도를 닦고자 마음먹는 것이지. 이것은 '해행발심(解行發心)'이라고 해.
셋째는 깨달음을 *증득하는 단계에서 마음먹는 것이야. 이것을 '증발심(證發心)'이라고 해.
어질
어질
이건 그냥 '증발'
어려워요! 간신히 이해할 만하면 자꾸만 더 어려운 말씀을 하시네요.
더 쉽게 설명해 주세요!
으흠...

* 증득(證得): 바른 지혜로써 진리를 깨달아 얻음.

대승 불교를 종합적으로 정리한 《대승기신론》이 쉬울 리 있겠니? 어린이나 초보자를 위해 쓴 책이 아니니 어려운 것은 당연해.
좀 더 쉬운 말로 바꿔 설명해 줄 테니 잘 들어 보렴.
네~.

진정한 믿음을 얻어 깨달음에 이르려면 네 단계의 과정이 필요해.
1단계 : 훌륭한 성현들의 가르침을 일단 믿기.
2단계 : 왜 그런지 자세히 이해하기.
3단계 : 실제로 실천해 보기.
4단계 : 진짜 깨달음에 이르기.
믿음을 성취하고 수행하고자 마음먹는 신성취발심은 1단계에 해당돼.
뭐든지 믿음이 중요해.
이해하고 실천하면서 도를 닦고자 마음먹는 해행발심은 2단계와 3단계에 속하지.
실제 경험이 중요하지.
또 깨달음을 얻는 단계에서 마음먹는 증발심은 4단계에 해당한단다.
말은 쉬운데 엄청 어려워~!
좀 더 쉽게 설명하자면 신성취발심은 초등학생 단계이고
1단계
해행발심은 중고등학생 단계이며
2·3단계
증발심은 대학생 단계인 셈이지.
4단계
지금부터는 구체적인 실천에 관한 이야기를 할 거야.
깨달음
각 단계별로 누가 어떤 마음을 먹어야 하는지, 마음을 얻으려면 어떻게 해야 하고 마음을 얻으면 무엇이 좋은지 알아보자.
깨달음의 실천이란....
떠벌 떠벌
대사님 혼자 또 신나셨네....
그러게....

신성취발심은 어떤 사람에게 필요할까?
바로 삶의 고통에서 벗어나고 싶다는 마음을 먹기는 했는데, 어떤 방법으로 벗어나야 할지 방향을 정하지 못한 사람들이 마음먹어야 할 단계야.
더 이상 고통받기 싫어~
아자! 아자!
바로 저를 두고 하는 말씀 같아요.
제 인생이 다람쥐 쳇바퀴 돌듯 빙빙 돌거든요.
타타타
학교 갔다가 학원 갔다가 숙제하고, 또 학교 갔다가 학원 갔다가 숙제하고 가끔 게임 한 번 하고….
학교
학원
벗어나고 싶지만 어떻게 다르게 살아야 할지 모르겠어요.
대승에 대한 믿음을 성취하려고 마음먹는다는 것이 대체 뭔가요?
저도 믿음을 성취하려는 마음을 먹어 보려고요!
믿음이 생기게 하는 데에는 네 가지 방법이 있어.
척
그것이 뭔데요?
첫 번째 방법은 연기법을 믿는 거야.
어떤 원인과 조건으로 인해 결과가 있다는 그 연기법 말이야.
원인
조건
결과

콩을 심으면 콩이 나고,
팥을 심으면 팥이 나는 것이 세상의 이치야.
내가 네 엄마야….
팥
팥
팥
이와 같은 연기법은 내가 인정하든 인정하지 않든 이 세상에 존재하는 하나의 법칙이야.
어리석은 생각에 빠지면 물 위에 기름을 붓고 기름이 물에 가라앉기를 바라고
헉!
기름
콩을 심고 팥이 나기를 바라며 음식을 많이 먹고도 날씬하기를 바라지.
황금 알을 낳아 줘.
빨리 낳아라.
거위도 아니고 수탉한테?
또 노력도 하지 않고 좋은 결과를 기대하거나 이기적으로 살면서도 남에게 인정받기를 원해.
모를 수도 있지!
이 바보야!
꼬꼬꼬
어리석은 마음에서 벗어나 좋은 일을 하면 좋은 결과를 맺고, 나쁜 일을 하면 나쁜 결과를 맺는 것은 당연한 법칙이란다.
싸우지 말고 좋은 인연을 만들기를….
흥!
믿음을 얻는 두 번째 방법은 열 가지 착한 일을 하는 거야.
열 가지 착한 일은 다음과 같아.
① 살아 있는 것을 죽이지 않는다.
② 훔치지 않는다.
③ 음란한 짓을 저지르지 않는다.
④ 거짓말을 하지 않는다.
⑤ 남을 괴롭히는 나쁜 말을 하지 않는다.
좌아악

⑥ 이간질하는 말을 하지 않는다.
⑦ 교묘하게 꾸미는 말을 하지 않는다.
⑧ 욕심을 부리지 않는다.
⑨ 화내지 않는다.
⑩ 어리석은 생각에 집착하지 않는다.
촤아아아악
뜨아~
이거 어디에선가 들은 것 같아요.
맞아. 어디서 들었는지 기억나니?
끄응~
아! 생각났어요! 깨달음의 네 단계에서 하신 말씀이에요.
그래, 맞아. 제대로 알고 있구나.
다시 한번 깨달음의 네 단계를 복습해 볼까?
네~!
또?
1단계는 '범부각' 또는 '불각'이라고 부르는 단계로, 보통 사람이 얻는 깨달음이지만 아직 깨달음이라 부르기 어려운 단계야.
4단계
3단계
2단계
1단계 — 범부각, 불각
2단계는 '상사각'으로, 깨달음이라 하기에는 아직 부족하지만 깨달음과 비슷한 단계지.
4단계
3단계
2단계-상사각
3단계는 '수분각'이야. 깨닫기는 했으나 일부만 깨달은 단계야.
수분각
그리고 4단계는 '구경각'으로 완전히 깨달은 단계지.
둥 둥
구경각
수분각

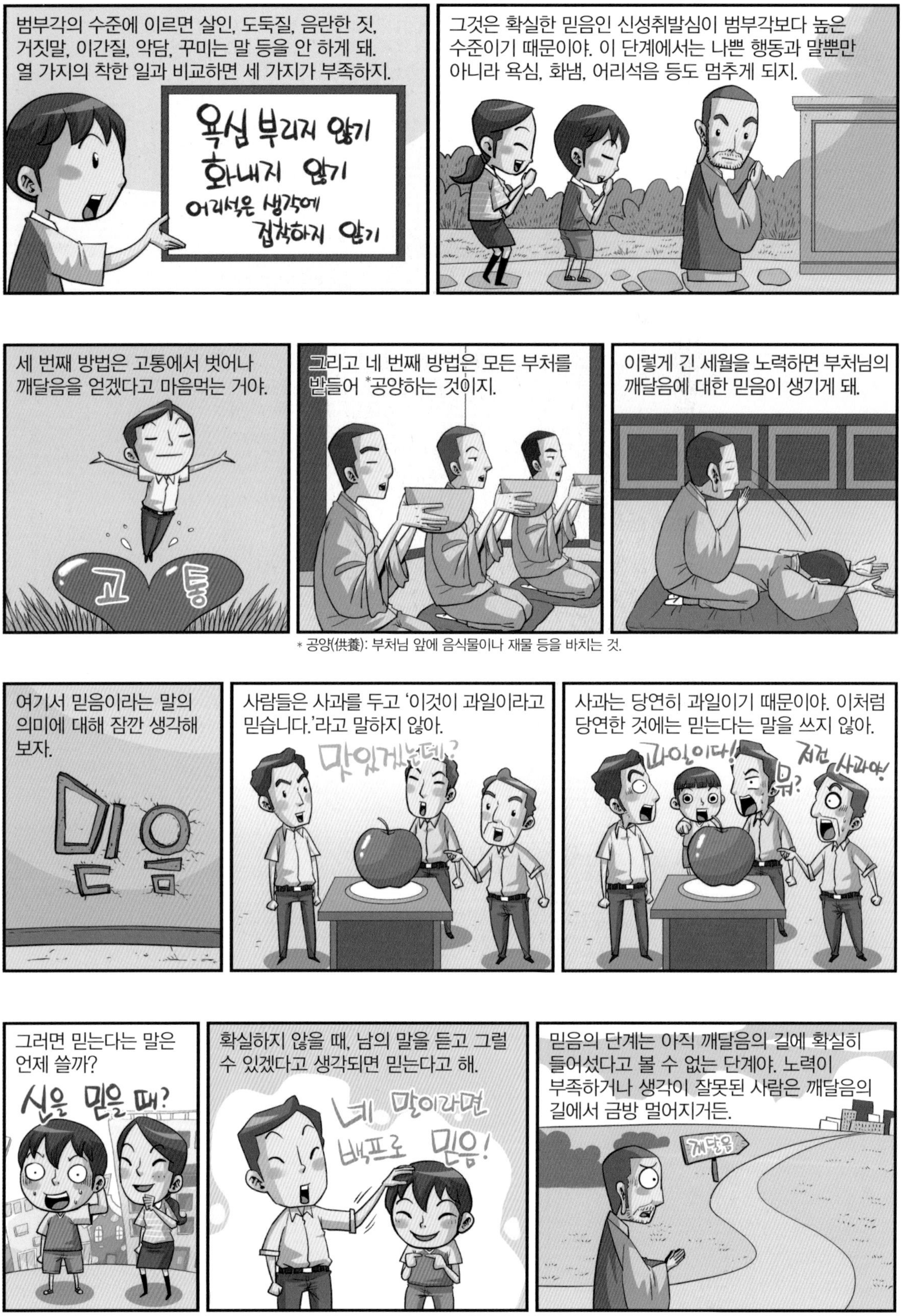
범부각의 수준에 이르면 살인, 도둑질, 음란한 짓, 거짓말, 이간질, 악담, 꾸미는 말 등을 안 하게 돼. 열 가지의 착한 일과 비교하면 세 가지가 부족하지.
욕심 부리지 않기
화내지 않기
어리석은 생각에 집착하지 않기
그것은 확실한 믿음인 신성취발심이 범부각보다 높은 수준이기 때문이야. 이 단계에서는 나쁜 행동과 말뿐만 아니라 욕심, 화냄, 어리석음 등도 멈추게 되지.
세 번째 방법은 고통에서 벗어나 깨달음을 얻겠다고 마음먹는 거야.
고통
그리고 네 번째 방법은 모든 부처를 받들어 *공양하는 것이지.
이렇게 긴 세월을 노력하면 부처님의 깨달음에 대한 믿음이 생기게 돼.
여기서 믿음이라는 말의 의미에 대해 잠깐 생각해 보자.
믿음
사람들은 사과를 두고 '이것이 과일이라고 믿습니다.'라고 말하지 않아.
맛있겠는데?
사과는 당연히 과일이기 때문이야. 이처럼 당연한 것에는 믿는다는 말을 쓰지 않아.
과일이다!
뭐?
저건 사과야!
그러면 믿는다는 말은 언제 쓸까?
신을 믿을 때?
확실하지 않을 때, 남의 말을 듣고 그럴 수 있겠다고 생각되면 믿는다고 해.
네 말이라면 백프로 믿음!
믿음의 단계는 아직 깨달음의 길에 확실히 들어섰다고 볼 수 없는 단계야. 노력이 부족하거나 생각이 잘못된 사람은 깨달음의 길에서 금방 멀어지거든.
깨달음

* 공양(供養): 부처님 앞에 음식물이나 재물 등을 바치는 것.

부처님이나 훌륭한 스승의 도움을 받거나 자신의 의지로 깨달음의 길에서 물러서지 않겠다고 마음먹은 사람만이 확실히 깨달음의 길에 들어섰다고 할 수 있어.
깨달음 출발선
나만 도움 받은 게 아니네.
깨달음의 길에서 물러서지 않는 사람이 되려면 믿음을 넘어 어떤 마음을 가져야 할까?
첫째로 진여를 잊지 않아야 해. 이 말은 내 속에 어떤 상황에서도 흔들리지 않는 텅 빈 듯 고요하고 그윽한 마음이 있다는 것을 잊지 않아야 한다는 뜻이야.
깨달음을 얻어 부처가 될 수 있고, 온 우주를 품어도 텅 빈 것 같은 넓은 마음이 내 속에 있으며 마음속의 양심이 늘 살아 있다는 것을 잊지 않아야 한다는 말이지.
그냥 진여를 잊지 않고 나의 양심을 잊지 않겠다고 마음먹기만 하면 되나요? 그냥 믿으면 돼요?
아니란다. 진여가 있음을 알게 되는 방법이 있어.
수행법
전문 용어로 사마타 수행법과 위빠사나 수행법이야. 다른 말로는 '지관수행(止觀修行)'이라고 하지.
쉬운 말로 바꾸면 명상을 하는 거야.
우리는 명상을 통해 진여가 늘 살아 있음을 확인할 수 있어.
이것은 진여가 있다는 것을 믿는 수준을 넘어 진여가 늘 마음 상태를 유지하는 것을 뜻한단다.

둘째는 진여로 돌아가려는 마음을 먹어야 해.
진여
진여를 보았다고 해서 늘 이 마음이 그대로 있는 것은 아니야.
진여가 늘 살아 있으려면 나쁜 행동을 부끄러워하며 뉘우치고 다시는 하지 않아야 해. 그리고 착한 행동을 즐겁게 해야 하지.
나무관세음 보살
진여
끄아아아
셋째는 미래가 다할 때까지 모든 중생이 깨달음을 얻고 고통에서 벗어날 수 있게 돕겠다는 큰 소원을 세워야 해.
모든 중생의 고통
내가 다 짊어지마….
나 혼자만 깨달음을 얻으면 안 돼.
왜… 왜죠?
나와 세상의 모든 것은 서로 영향을 주고받는 존재이기 때문이야.
앞에서 내 마음에 부처님의 마음과 똑같은 마음이 있으니, 무명만 걷어 내면 부처님의 마음이 그대로 나타나 세상 모든 존재의 모습을 있는 그대로 알게 된다고 하셨잖아요?
또 다른 사람과 나를 한 몸으로 느껴서 저절로 다른 사람을 돕는 행동이 나온다고도 하셨고요.
맞아. 그랬어.
그럼 진여가 늘 깨어 있게만 하면 되는 것 아닌가요?
음, 그래.
그런데 또 진여를 잊지 않기 위해 명상을 하고, 진여가 늘 살아 있도록 착한 행동을 하며 모든 중생을 고통에서 벗어나게 하겠다는 큰 소원까지 세우라니! 진여를 본 후에도 뭔가를 계속 해야 한다는 말이잖아요!
고마워.

비유를 들어 설명할 테니 잘 들어 보렴. 여의주 알지?
용의 턱 아래에 있다는 구슬이죠? 사람이 얻으면 온갖 조화를 다 부릴 수 있다는 전설이 있잖아요.
그러나 깨끗하고 밝은 여의주도 원광석으로 있을 때는 깨끗하고 밝지 않아.
여의주가 아무리 대단한 것이라 해도 잘 닦아 내지 않으면 깨끗하고 밝은 여의주의 모습이 드러나지 않기 때문이지.
진여도 마찬가지야.
우리의 본래 마음인 진여는 아주 맑고 깨끗해 수많은 공덕을 가지고 있어.
그러나 여러 가지 방법으로 진여를 닦고 익히지 않으면 본성을 완전히 회복하기 어려워.
이렇게도 닦아 보고, 저렇게도 닦아 보고….
인간은 해 보지 않은 일은 잘 할 줄 모르기 때문이야.
자기 계발
여기까지가 대승에 대한 믿음을 성취하고, 수행하고자 마음먹는 신성취발심의 단계야.
1단계
이 단계에 이르면 텅 비고 고요하며 부처님의 마음과 같은 진여가 내 속에 있음을 조금은 확인하게 돼.
그리고 모든 중생을 괴로움에서 벗어나게 하겠다는 큰 소원에 따라 중생에게 도움이 되는 일들을 하게 되지.
중생들의 고통

다음으로는 이해하고 실천하며 도를 닦는 해행발심의 단계를 살펴보자.
쏴아아아아
해행발심의 단계는 2단계로써, 깨달음을 얻기 위한 수행이 더 깊어지는 단계야.
흔히 이 단계에 이른 사람을 '현인(賢人)'이라고 불러.

아직 *성인에는 못 미치지만, 어질고 지혜롭기가 성인에 견줄 만큼 뛰어난 사람이라고 할 수 있어.
상사각을 얻은 이들이라고 할 수 있지.
상사각
여기에서는 진여에 대한 이해가 좀 더 깊어지기 때문에 깨어 있는 상태에서도 마음이 고요해.
진 여

* 성인(聖人): 덕과 지혜가 뛰어나 모든 사람이 길이 우러러 받들고 모든 사람의 스승이 될 만한 사람.

고요하기만 한 것이 아니라 인연에 따라 무한한 공덕을 펼치는 마음을 가지게 되지.
공덕
그러므로 깨어 있을 때도 마음이 텅 빈 듯 고요하며 지혜로운 상태에 머물러 있는 거야.
그러나 아직은 진여를 조금밖에 보지 못한 상태야.
그래서 마음이 늘 고요한 것은 아니지. 특히 무의식의 상태에서는 고요하고 정신이 살아 있는 마음의 상태를 유지하지 못하는 경우가 많아.
항상 진여에 따라 행동할 수 있는 수준이 아니기 때문에 진여를 이해하고 실천하려는 공부를 계속해야 해.

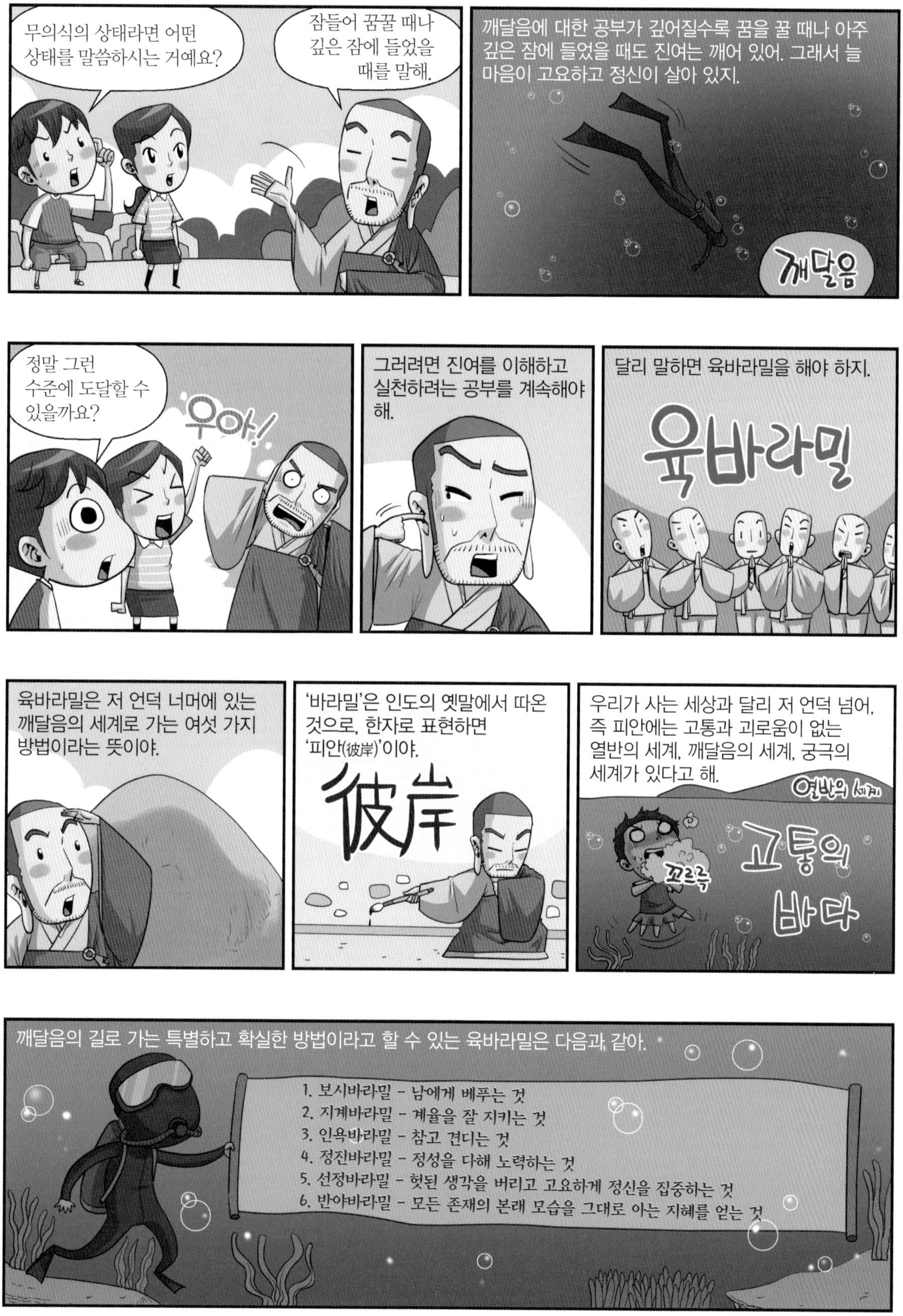
무의식의 상태라면 어떤 상태를 말씀하시는 거예요?
잠들어 꿈꿀 때나 깊은 잠에 들었을 때를 말해.
깨달음에 대한 공부가 깊어질수록 꿈을 꿀 때나 아주 깊은 잠에 들었을 때도 진여는 깨어 있어. 그래서 늘 마음이 고요하고 정신이 살아 있지.
깨달음
정말 그런 수준에 도달할 수 있을까요?
우아!
그러려면 진여를 이해하고 실천하려는 공부를 계속해야 해.
달리 말하면 육바라밀을 해야 하지.
육바라밀
육바라밀은 저 언덕 너머에 있는 깨달음의 세계로 가는 여섯 가지 방법이라는 뜻이야.
'바라밀'은 인도의 옛말에서 따온 것으로, 한자로 표현하면 '피안(彼岸)'이야.
彼岸
우리가 사는 세상과 달리 저 언덕 넘어, 즉 피안에는 고통과 괴로움이 없는 열반의 세계, 깨달음의 세계, 궁극의 세계가 있다고 해.
열반의 세계
꼬르륵
고통의 바다
깨달음의 길로 가는 특별하고 확실한 방법이라고 할 수 있는 육바라밀은 다음과 같아.
1. 보시바라밀 - 남에게 베푸는 것
2. 지계바라밀 - 계율을 잘 지키는 것
3. 인욕바라밀 - 참고 견디는 것
4. 정진바라밀 - 정성을 다해 노력하는 것
5. 선정바라밀 - 헛된 생각을 버리고 고요하게 정신을 집중하는 것
6. 반야바라밀 - 모든 존재의 본래 모습을 그대로 아는 지혜를 얻는 것

반야바라밀은 다른 말로 '지혜바라밀'이라고 하기도 해.
보시바라밀
지계바라밀
인욕바라밀
정진바라밀
선정바라밀
지혜바라밀
현인들은 우리의 본래 마음에 욕심이 없다는 것을 알기에 이 마음에 따라 보시바라밀을 행해.
베풀다.
우리의 본래 마음이 깨끗하다는 것을 알기에 이 마음에 따라 지계바라밀을 행하지.
계율은
지키라고 있는 것.
또 우리의 본래 마음에 성내고 괴로워하는 것이 없다는 것을 알기에 인욕바라밀을 행하고
참고, 참고,
또 참는 것.
우리의 본래 마음에 게으름이 없다는 것을 알기에 정진바라밀을 행하며
끝없이
정진! 정진!
우리의 본래 마음이 텅 비고 고요하다는 것을 알기에 선정바라밀을 행할 뿐 아니라
집중! 집중!
집 중!
우리의 본래 마음이 어리석지 않고 지혜롭다는 것을 알기에 지혜바라밀을 행하는 거야.
육 바라밀
육바라밀
육바라밀
똑 똑똑
한편 3단계는 깨달음을 증득하는 증발심의 단계야.
증발심
머무는 것과 땅에 뿌리를 내리는 것은 의미가 달라.
바람이 머무는 것과 나무가 땅에 뿌리를 내리는 것이 전혀 다른 것처럼 말이야.
슈우우우
머무는 것은 머물다, 말다, 왔다, 갔다 하지만 땅에 뿌리를 내린 나무는 결코 흔들리지 않아.
휘이이이이

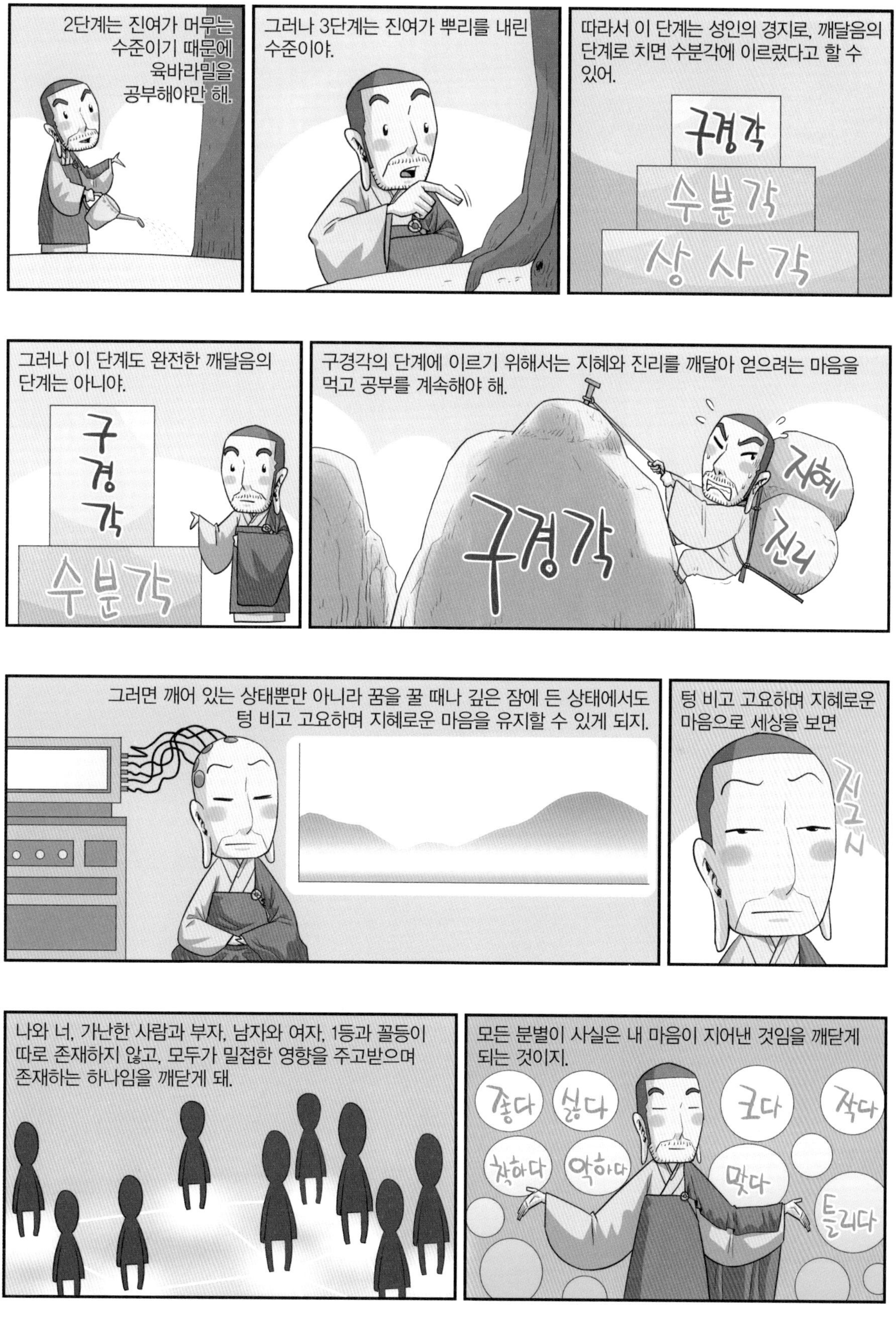
2단계는 진여가 머무는 수준이기 때문에 육바라밀을 공부해야만 해.
그러나 3단계는 진여가 뿌리를 내린 수준이야.
따라서 이 단계는 성인의 경지로, 깨달음의 단계로 치면 수분각에 이르렀다고 할 수 있어.
구경각
수분각
상사각
그러나 이 단계도 완전한 깨달음의 단계는 아니야.
구경각
수분각
구경각의 단계에 이르기 위해서는 지혜와 진리를 깨달아 얻으려는 마음을 먹고 공부를 계속해야 해.
구경각
지혜
진리
그러면 깨어 있는 상태뿐만 아니라 꿈을 꿀 때나 깊은 잠에 든 상태에서도 텅 비고 고요하며 지혜로운 마음을 유지할 수 있게 되지.
텅 비고 고요하며 지혜로운 마음으로 세상을 보면
지그시
나와 너, 가난한 사람과 부자, 남자와 여자, 1등과 꼴등이 따로 존재하지 않고, 모두가 밀접한 영향을 주고받으며 존재하는 하나임을 깨닫게 돼.
모든 분별이 사실은 내 마음이 지어낸 것임을 깨닫게 되는 것이지.
좋다
싫다
크다
작다
착하다
악하다
맞다
틀리다

그뿐만 아니라 이분법적인 생각을 버리고, 나와 남을 분별하지 않는 지혜를 얻게 돼.
나
남
그러면 우주에 있는 모든 것을 있는 그대로 바르게 보는 지혜가 생기지.
불교에서는 '분별해 생각하는 어리석음' 때문에 모든 고통이 시작된다고 생각해.
자신들의 개인적인 기준에서 분별하는 것이 문제지….
저는 그동안 분별할 줄 알면 개념이 있고 센스가 있는 것이라고 생각했어요.
그런데 《대승기신론소》를 공부해 보니 너와 나를 나누는 분별이 얼마나 많은 문제를 일으키고 사람들을 고통스럽게 하는지 알겠지?
내 말이 맞아!
뭔소리? 내 말이 맞거든!?
너가 뭘 알아?
나
남
나
남
벌써 그런 지혜를 깨닫다니 참 영특하구나!
헤헤….
그런데 아까부터 말씀하신 '있는 그대로를 바르게 보는 지혜'가 무엇인가요?
맞아! 맞아!
예를 들어 가르쳐 주세요!
너희들이 좋아하는 휴대 전화를 가지고 생각해 보자.
'있는 그대로를 바르게 보는 지혜'는 지금 사용하는 너희의 휴대 전화가 무엇으로 만들어졌고 어떤 기능이 있으며 누구를 거쳐 왔는지 휴대 전화의 과거, 현재, 미래를 있는 그대로 아는 것과 같아.
스마트 기능
과거
현재
미래
남
전 주인
?

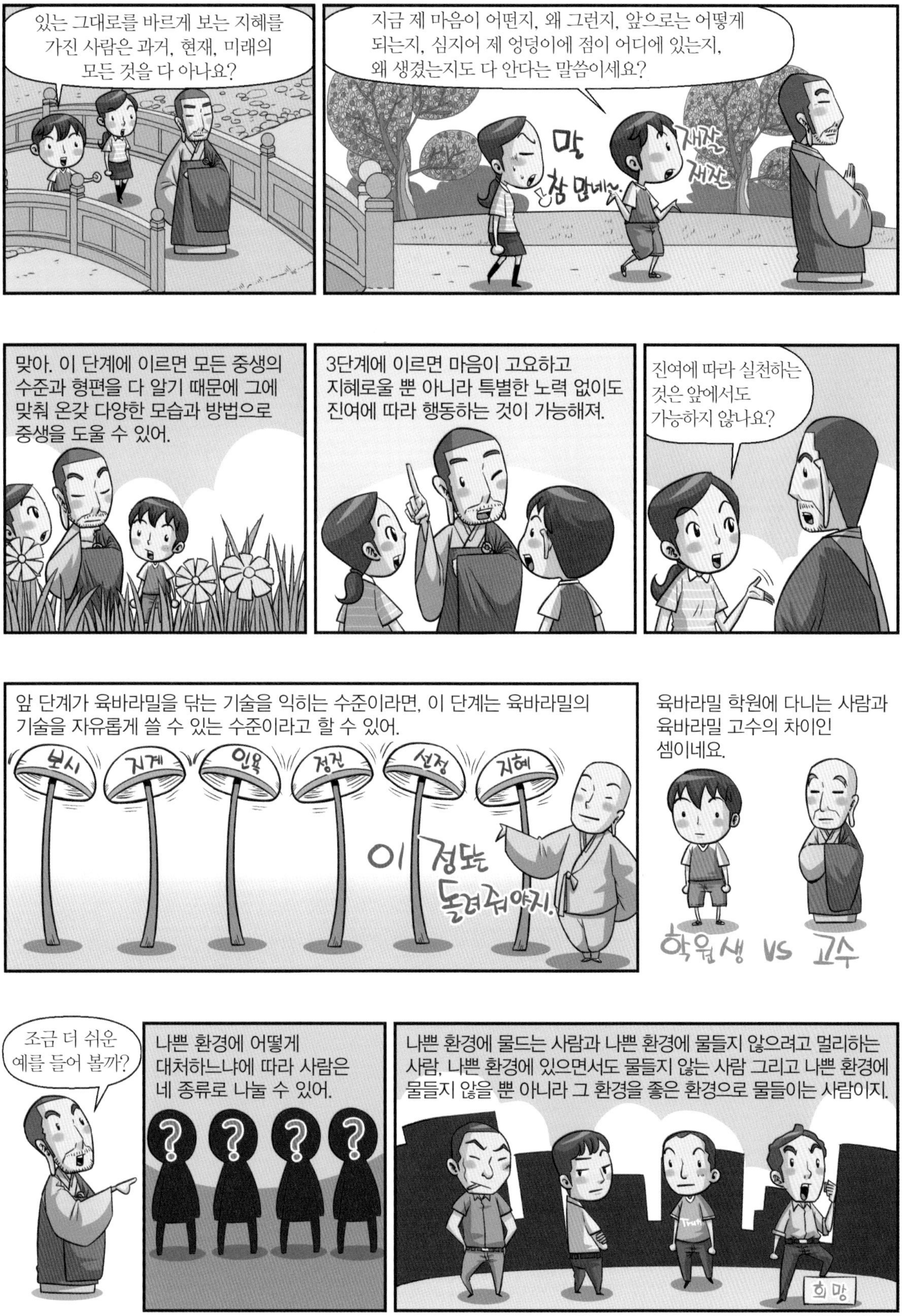

있는 그대로를 바르게 보는 지혜를 가진 사람은 과거, 현재, 미래의 모든 것을 다 아나요?
지금 제 마음이 어떤지, 왜 그런지, 앞으로는 어떻게 되는지, 심지어 제 엉덩이에 점이 어디에 있는지, 왜 생겼는지도 다 안다는 말씀이세요?
말 참 많네~.
재잘 재잘
맞아. 이 단계에 이르면 모든 중생의 수준과 형편을 다 알기 때문에 그에 맞춰 온갖 다양한 모습과 방법으로 중생을 도울 수 있어.
3단계에 이르면 마음이 고요하고 지혜로울 뿐 아니라 특별한 노력 없이도 진여에 따라 행동하는 것이 가능해져.
진여에 따라 실천하는 것은 앞에서도 가능하지 않나요?
앞 단계가 육바라밀을 닦는 기술을 익히는 수준이라면, 이 단계는 육바라밀의 기술을 자유롭게 쓸 수 있는 수준이라고 할 수 있어.
보시
지계
인욕
정진
선정
지혜
이 정도는 돌려줘야지!
육바라밀 학원에 다니는 사람과 육바라밀 고수의 차이인 셈이네요.
학원생 VS 고수
조금 더 쉬운 예를 들어 볼까?
나쁜 환경에 어떻게 대처하느냐에 따라 사람은 네 종류로 나눌 수 있어.
나쁜 환경에 물드는 사람과 나쁜 환경에 물들지 않으려고 멀리하는 사람, 나쁜 환경에 있으면서도 물들지 않는 사람 그리고 나쁜 환경에 물들지 않을 뿐 아니라 그 환경을 좋은 환경으로 물들이는 사람이지.
Truth
희망

다시 말하면 불량한 친구들과 어울리다가 함께 탈선하는 사람과
하하하
불량한 친구들한테 물들까 봐 착한 친구만 골라 사귀며 열심히 사는 사람,
에비~
한심한 놈들….
불량한 친구나 착한 친구 모두와 잘 지내는데, 탈선하지 않고 자기 할 일을 잘하는 사람
담배 좀 고만 펴 짜샤!
공부 잘되냐?
그리고 불량한 친구나 착한 친구 모두와 잘 지내는데, 불량한 친구까지 착하게 만드는 사람이야.
나도 이제 공부 좀 해 볼까?
넌 머리가 바보라서 안 돼~.
이것을 깨달음의 단계와 연결 지어 볼까?
깨달음의 문
첫 번째 경우는 착한 일을 하면 좋은 결과가 있고, 나쁜 일을 하면 나쁜 결과가 있다는 것을 모르고 삶의 고통에서 벗어나려는 마음이 없는 단계야.
하하하
으~
윽! 저렇게는 되지 말자!
두 번째 경우는 대승에 대한 믿음을 성취하고 삶의 괴로움에서 벗어나고자 수행을 마음먹은 단계지.
에비~
한심한 놈들….
세 번째는 이해하고 실천하며 도를 닦으려고 마음먹은 단계이고 네 번째는 깨달음을 증득하는 단계야.
담배 좀 고만 펴 짜샤!
나도 이제 공부 좀 해 볼까?

스님은 어떤 단계인가요?
왠지 궁금해!
나는 화랑으로 살 때는 세상에 물드는 사람이었어.
승려가 된 후 절에서 불경을 열심히 공부하던 때는 물들지 않으려고 세상을 멀리하는 사람이었지.
또 해골 물을 마시고 일체유심조를 깨달은 이후에는 세상에 어울려 살며 물들지 않는 사람이었어. 대안과 주막에 간 후 충격을 받고 절에서 머슴 생활을 할 때도 마찬가지였지.
꺼억
어이, 주모.
그리고 요석 공주와 스캔들을 일으키고 깡패, 술꾼, 도둑 등과 어울려 살며 그들을 구제할 때는 세상에 어울려 살며 세상을 물들이는 사람이었단다.
정말 대단하시네요! 전 게임 중독인 친구와 매일 같이 게임하다가 저도 중독될 뻔한 적이 있어요.
같은 실수를 반복하지 않으려면 적어도 이해하고 실천하며 도를 닦으려는 단계에는 이르러야 해.
이해
실천
더 나아가 게임 중독 친구를 도우려면 깨달음을 증득하는 단계에 이르러야 하지.
깨달음은~.
게임 안 하고 뭐해?
아~. 이래서 스님께서 우리나라 불교의 첫 새벽이신 거군요!
허허.... 이거 쑥스럽군.

10장 어떻게 수행할까? 1
– 보시, 지계, 인욕, 정진

보 지 인 정
시 계 욕 진

깨달음의 길이 확실하게 정해지지 않은 사람들 중에는 뛰어난 사람과 뒤떨어진 사람이 있어.
어디로 가야 하나?

뛰어난 사람은 믿음을 성취해 수행하고자 하는 마음을 먹고 이해하고 실천하면서 물러섬 없이 앞으로 나아가는 사람이야.
자… 잠깐!
그래! 결정했어! 이 길로 가야 깨달음의 길이지!

반면에 뒤떨어진 사람은 믿음을 성취하지 못하고 갈팡질팡하다가 깨달음의 길에서 물러나는 사람이지.
악! 나 보고 어떡하라고~.

이번 장에서는 뒤떨어진 사람들이 깨달음의 공부를 포기하지 않고 믿음을 성취하도록 하는 방법에 대해 알아볼 거야.
자네도 할 수 있어!
에? 진짜로요?
턱

뛰어난 사람과 뒤떨어진 사람은 정해져 있는 건가요?
허허! 그런 것은 아니야.
뛰어난 사람은 깨달음을 얻고자 하는 마음이 확고하게 굳어진 사람이야.
머리도 확실하게 깎았지.
반면에 뒤떨어진 사람은 깨달음을 얻고자 하는 마음이 확고하지 않은 사람이지.
잠깐!
멈칫
계속 깎아야 되나?
이들이 정해져 있는 것은 아니야.
믿음은 깨달음으로 가는 공부의 시작이야.
깨달음
믿음
믿음이 없으면 계속 의심하게 되고, 이로 인해 앞으로 나아가지 못하고 물러서는 경우가 많거든.
믿음
펑
탈탈탈
그렇게 되지 않으려면 어떤 믿음을 닦고, 어떻게 실천하며 공부해야 하는지 잘 알아야 해.
반짝
믿음
탕탕
반짝
네! 열심히 배울게요!
앞에서 말한 믿음을 얻는 네 가지 방법 기억나니?
당연히 기억하죠!
첫째는 연기법 믿기, 둘째는 열 가지 착한 일 하기!
고맙네, 학생!
헤헤 뭘요~.
오~ 줄리엣!
그 연기 아니거든!
셋째는 고통에서 벗어나 깨달음을 얻겠다는 마음먹기, 넷째는 모든 부처를 받들어 공양하기였잖아요!
그래. 아주 정확하게 기억하고 있구나.
이 네 가지 방법으로 확실한 믿음을 얻지 못하는 사람들을 가르칠 수 있어.
1. 연기법
2. 열 가지 착한 일
3. 고통에서 벗어나 깨달음을 얻겠다는 마음을 먹기
4. 모든 부처를 받들어 공양하기

앞에서 《대승기신론》은 일심(一心), 이문(二門), 삼대(三大), 사신(四信), 오행(五行)의 내용을 담고 있다고 했어.
一心, 二門, 三大, 四信, 五行
네. 아하하….
이제 사신과 오행에 대해 말할 차례야.
죽음의 사신?
그 사신 아니거든~.
다시 정리하면 사람의 마음(일심)에는 진여문과 생멸문이라는 두 가지 문(이문)이 있어.
진여문
생멸문
이 마음은 세 가지 위대함(삼대)을 가지고 있어서 네 가지를 믿고(사신), 다섯 가지를 실천(오행)하면 누구나 깨달음을 얻어 부처가 될 수 있지.
信 信 信 信
大 大 大
行 行 行 行 行
사신, 즉 네 가지 믿음은 다음과 같아.
첫째는 모든 것의 근본인 진여에 대한 믿음이고
진여
둘째는 부처님에 대한 믿음이야. 부처님에게 한량없는 공덕이 있다고 믿고, 항상 부처님을 가까이하며 공양하고 공경하는 것이지.
셋째는 부처님의 가르침에 대한 믿음이야. 부처님의 가르침에는 삶에 필요한 큰 이익이 있다는 것을 믿고, 그 가르침대로 공부하고 실천하는 것이지.
넷째는 수행자들에 대한 믿음이야. 수행자는 부처님의 가르침에 따라 수행할 뿐만 아니라, 부처님의 가르침을 사람들에게 알려 주거든. 따라서 이들에게 올바른 공부법을 배우려고 노력해야 해.

보시, 지계, 인욕, 정진, 지관의 다섯 가지 실천 방법을 오행이라고 해.
깨달음
보시
지계
인욕
정진
지관
여기서 지관은 선정바라밀과 지혜바라밀을 말해.
지관
앞에서 말한 육바라밀과 같지?
육바라밀 = 오행
왜 똑같은 것을 또 실천하라고 하는 걸까?
이해하고 실천하며 도를 닦으려고 마음먹는 단계인 육바라밀은 진여를 이해한 상태에서 그 마음에 따라 보시, 지계, 인욕, 정진, 선정, 지혜를 닦는 것이란다.
보시
지계
인욕
정진
선정
지혜
그러나 오행은 아직 진여를 이해하지 못했지만 보시, 지계, 인욕, 정진, 지관을 실천하려 노력하는 것이지.
정진
지관
인욕
보시
지계
먼저 보시(布施)를 살펴보자.
보시
보시는 남에게 베푸는 것으로, 여기에는 규칙이 있어.
풀어 보시게.
고맙습니다.
보시
첫째, 어려움에 처한 사람이 찾아와 물질로 도와줄 것을 청하면 가지고 있는 재물로 힘닿는 데까지 베풀어야 해.
펑
이렇게 하면 베푸는 사람은 인색함과 욕심을 버릴 수 있고, 받는 사람은 기쁨이 생길 거야.
와아아

물질을 베푸는 데에도 규칙이 있다는 건, 남에게 물질로 베푸는 것이 무조건 좋은 것은 아니라는 뜻이야.
흐뭇
도움을 청할 때, 자신의 힘이 닿는 데까지 재물을 베풀어야 좋은 것이지.
흐야압
재물
스님 말씀을 듣고 나니, 생각나는 친구가 있어요. 영식이라는 같은 반 친구예요.
영식이는 매일 아침 학교에 올 때 먹을 것을 잔뜩 사 가지고 와요.
얘들아! 같이 먹자!
우르르
영식이가 먹을 것을 꺼내면 아이들이 구름처럼 몰려들어요. 그리고 먹을 것이 다 떨어지면 순식간에 사라지죠!
털썩
내일은 다른 거 좀 싸 와~.
그… 그럴까?
영식이는 친구들과 간식을 나눠 먹으며 친해지고 싶어 하는 것 같은데, 아이들은 영식이를 간식 공급처 정도로 생각하는 것 같아 안타까워요.
그러니까 어려움에 처한 사람이 도움을 청할 때 베풀어야 한다는 거야.
아~

초등학교 때 친구인 형민이는 갑자기 형편이 어려워져서 이사를 갔어요.
잘 있어~
흑흑흑…
형민이 삼촌의 사업 실패로 형민이네 집까지 어려워졌기 때문이에요.
나 때문에 이렇게 되다니!
부아앙
형민이 아버지께서 집을 담보로 엄청 많은 돈을 빌려 삼촌에게 주셨나 봐요.
여기 서명하시면 됩니다.
담보 대출
그렇지만 사업이 망해서 돈은커녕 집까지 날린 거죠.
폭삭
와르르
지금은 삼촌이랑 연락도 안 하고 지낸대요.
나무 관세음 보살
그러니까 자신이 힘닿는 데까지만 베풀어야 하는 거야.
맞아요!
끄덕 끄덕
형민이 아버지는 물질로 남에게 보시했지만 자신이나 남에게 좋은 점이 하나도 없었잖아요.
나 때문에 이렇게 되다니!
형님! 고맙습니다!
보시의 두 번째 규칙은 두렵거나 위급한 상황에 처한 사람을 만났을 때 자신이 감당할 수 있는 능력 안에서 그 사람을 도와야 한다는 거야.
좋은 말할 때 비켜~!
첫 번째 규칙과 마찬가지로 자신이 감당할 수 있는 능력 내에서 베풀어야 하지만, 청하지 않아도 베풀어야 하지.
괜찮아요?
고맙습니다.
으~
도망가자!

예를 들어 물에 빠진 사람을 구한답시고 수영도 못하면서 물에 뛰어들었다가는 함께 죽을 수도 있어.
사람 살려~~~!
물이 깊어!
꼬르륵
그러나 청할 때까지 기다렸다가는 물에 빠진 사람이 죽을지도 몰라.
사람 살….
어푸! 어푸!
말을 제대로 해요~!
살려 줄까요?
마찬가지로 누군가 가르침을 구한다면 자신이 아는 만큼 이런저런 방법으로 설명해 줘야 해.
가르쳐 주실 수 있잖아요?
남에게 베푸는 것은 물질로 베푸는 것뿐만 아니라, 마음을 위로하고 지혜를 나누는 것도 포함하기 때문이야.
보시
물질
위로
지혜
친구와 싸우고 마음이 다친 민우의 얘기를 들어 주는 것이나
위로
토닥 토닥
문제를 못 풀고 끙끙대던 철수가 "이것 어떻게 풀어?"라고 물었을 때 도와주는 것 모두 보시에 해당돼.
그건 말이야. 어쩌구 저쩌구….
보시할 때는 베풀었다는 생각을 하거나 대가를 바라지 않아야 해.
난 뭐 땅 파서 먹고사나?
베풀고 대가를 바라는 것은 상인이 물건을 주고 돈을 받는 것과 같기 때문이야.
맞아! 난 상인이 아니지. 깨달음을 얻어야지.
진정하자.
진정해.
남과 물질을 나누면 기쁜 마음이 생겨. 기쁜 마음으로 물질을 나누면 나누는 이나 받는 이 모두가 좋아.
내가 베풀었….
그러나 베푼다는 생각으로 베풀면 자신도 모르게 바라는 것이 생기게 돼.
뜨끔
악~! 나도 모르게!

또 도움을 받은 사람이 고마워하지 않거나, 조금만 서운하게 하면 '내가 너한테 어떻게 했는데, 나한테 이럴 수 있어?'라는 마음이 들지도 모르지.
형이 좋아서 한 일이잖아요~.
뭣이?
반대로 도움을 받아야 하는 상황만으로 이미 상처받은 사람은 어떨까? 아마 자존심이 상해 기쁜 마음이 생기지 않을 거야.
넌 이런 것도 모르니?
뭐야~.
기쁘지 않으니 고맙거나 잘해 주고 싶은 마음이 안 생기겠지?
하나도 안 기뻐~.
오행 중 두 번째인 지계(持戒)는 계율을 잘 지키는 것을 말해.
지키자! 계율!
즉 살생이나 도둑질, 음란한 짓, 거짓말, 남을 괴롭히는 나쁜 말 등을 하지 않고
조심 조심
살금 살금
진실만을 말하겠습니다!
이간질이나 교묘하게 꾸미는 말을 하지 않으며 욕심을 부리거나 화내거나 어리석은 생각에 집착하는 행위를 하지 않는 것이지.
간단하게 말하면 몸과 입과 마음, 즉 행동과 말과 생각으로 만드는 나쁜 일을 모두 멈추는 거야.
ALL STOP
출가 수행자라면, 지켜야 할 것이 더 늘어나.
지켜야 할 것
먼저 *번뇌를 다 끊어야 해.
싹둑
번뇌
그러려면 복잡하고 시끄러운 곳을 떠나 고요한 곳에 머물면서 습관처럼 수행해야 하지.
고즈넉
또한 필요한 만큼만 갖고 만족할 줄 알아야 해. 작은 잘못도 가벼이 여기지 않고, 안팎으로 뉘우치고 부끄러워하며 고쳐야 하지.

* 번뇌(煩惱): 마음이나 몸을 괴롭히는 노여움이나 욕망 따위의 망념.

지계와 관련해 재미있는 이야기가 있어.
이웃에 사는 두 여인은 마을 근처에 있는 절을 자주 찾았어.
그 절의 승려가 보니, 한 여인은 자신을 큰 죄인으로 여기고 있었으나 다른 한 여인은 아주 당당했어.
자신이 젊었을 때 큰 죄를 지었다고 생각하는 한 여인과 달리 다른 여인은 자신은 큰 죄를 지은 일이 없다고 생각하고 있었던 거야.
승려는 두 여인을 불러 "지금 마당으로 나가 이쪽 부인께서는 큰 돌 하나를, 저쪽 부인께서는 작은 돌 여러 개를 가져오십시오."라고 말했어.
그리고 두 여인이 돌을 가지고 오자, 다시 돌을 원래의 자리에다 갖다 놓으라고 했지.
엥?
큰 돌을 들고 왔던 여인은 쉽게 제자리에 갖다 놓았지만, 여러 개의 작은 돌을 주워 왔던 여인은 원래의 자리를 일일이 기억해 낼 수가 없었어.
어디
어디였더라?

그러자 승려가 말했어.
크고 무거운 돌은 어디에서 가져왔는지 분명히 기억할 수 있어 제자리에 갖다 놓을 수 있으나, 작고 많은 돌들은 원래의 자리를 알기 어려워 도로 갖다 놓을 수가 없지요. 죄도 이와 마찬가지입니다.
큰 돌을 들고 오신 부인께서는 한때 지은 죄를 잘 기억하고 반성하며 살아오셨습니다.
그러나 작은 돌을 주워 오신 부인께서는 살아오면서 소소하게 지은 작고 가벼운 죄들을 모두 잊고 뉘우침 없는 나날을 보내셨지요.
윽!
한편 오행의 세 번째인 인욕(忍辱)은 참고 견디는 것을 말해.
참고 견뎌야 해!
목욕 말고 인욕~
42°C
인욕은 두 가지로 설명할 수 있어. 하나는 다른 사람이 괴롭혀 불이익을 당했을 때 화를 내거나 보복하지 않는 것이고
인욕
1 화내거나 보복하지 않는다
2 흔들리지 않는 마음으로 받아들여 참는다.
다른 하나는 마음을 닦아 그 어떤 상황에서도 마음이 흔들리지 않고 편안하게 받아들이며 참는 것이지.
말이 없고 화를 많이 참거나 스트레스를 쌓아 두는 사람은 암에 걸리기 쉽다던데요?
나도 들었어.
맞아. 화를 너무 참으면 몸에 병이 생겨. 그러나 화를 심하게 내는 것도 큰 문제야.
화를 잘 내는 사람들은 아주 사소한 일에도 자주 화를 내서 상대방뿐만 아니라 자신의 마음에도 상처를 입혀.
크아아~
으악 으악

화를 참는 최고의 방법은 원래부터 화낼 만한 것이 없다는 것을 아는 것이야. 다 마음이 지어냈음을 아는 것이지.
마음
좌아아아
세계적으로 유명한 베트남 승려 틱낫한이 화와 관련해 한 이야기가 있어.
틱낫한(Thich Nhat Hanh, 1926~)
감자를 삶기 위해서는 감자를 냄비에 넣고 뚜껑을 덮어 불 위에 올려놓아야 해. 아주 센 불이라 하더라도 5분 만에 꺼 버리면 감자는 제대로 익지 않지.
부글 부글
설익었어~.
감자를 충분히 익히기 위해서는 적어도 15분이나 20분쯤 가열해야 해. 그런 후에 뚜껑을 열면 잘 익은 감자의 향이 날 거야.
그래! 이 냄새야!
화도 감자와 마찬가지야.
시간을 들여서 충분히 익혀야 해.
고오오
익히지 않은 화는 날감자와 같아.
크아
우리는 날감자를 그대로 먹지 않아.
화는 우리가 즐길 만한 것이 아니지만 잘 처리하는 방법을 배우면, 다시 말해 감자를 익히듯이 잘 요리하는 방법을 배우면 그 부정적인 에너지를 이해와 애정이라는 긍정적인 에너지로 바꿀 수 있어.

화를 감싸기 위해서 우리는 아기의 울음소리에 귀를 기울이는 어머니가 되어야 해.
으앙~!
어머니는 부엌에서 일을 하다가도 아기의 울음소리가 들리면 당연히 하던 일을 멈추고 아기를 달래러 가.
으앙!
맛있는 수프가 거의 다 되어 가고 있던 참이라 해도 어쩔 수 없지.
보글 보글
수프도 중요하지만, 아기를 달래는 것만큼 중요하지는 않기 때문이야.
수프
으앙
그래서 어머니는 수프야 어찌 되든 아기에게 먼저 가.
으야~.
보글 보글
어머니가 나타났다는 것은 아기에게 햇빛을 만난 것과 다름없어.
엄마가 와쪄요~.
어머니의 마음에는 온정과 관심 그리고 자애가 가득하기 때문이야.
꺄르르
어머니는 먼저 아기를 들어 올려 품에 안아.
그러면 어머니의 에너지가 아기의 몸속으로 들어가 아기를 달래게 되지.
틱낫한은 이것이 바로 마음속에서 화가 차오를 때 우리가 취해야 할 행동이라고 말해. 화가 나면 하던 일을 당장 중단해야 해.
으~
그 순간에 가장 중요한 것은 자신에게 돌아가 '화'라는 아기를 달래는 일이기 때문이야. 어머니에게 아기를 달래는 것보다 더 시급한 일이 없는 것처럼 말이야.

오행의 네 번째인 정진(精進)은 정성을 다해 게으름 없이 노력하는 것을 말해.
정진
조금만 더 힘내자!
헉헉
착한 일을 부지런히 하고, 뜻을 강하게 해 약한 마음을 내지 않으며
공덕
과거 무수한 세월 동안 몸과 마음이 겪은 큰 고통은 아무런 이익이 없었음을 생각하고
모든 공덕을 부지런히 닦아 자신과 이웃의 이익까지 생각하는 마음으로 정성을 다하며 게으름 없이 노력하는 것을 말하지.
공덕
저도 사실은 게으름 부리지 않고 노력하고 싶은데 잘 안 돼요. 의지가 약해지기도 하고 계속하기가 너무 힘들어요.
그럴수록 더욱 용맹스럽게 노력하는 자세가 필요해.
저도 잘 알죠! 엄청 잘 알아요! 잘 안 되니까 그렇죠.
정말 힘든 것 같아요.
그래? 그렇다면 재미있는 이야기 하나 들려줄 테니 잘 들어 보렴.
네, 좋아요.
부처님의 제자 중 하나인 이십억이는 매우 유명하고 부유한 집안 출신이었어.
이십억이는 어느 날 부처님을 만나 커다란 감동을 받고 부처님의 가르침에 따라 승려가 되었어.

이십억이는 온갖 고생을 참으며 부지런히 수행했어. 그런데 아무리 애써도 깨달음을 얻지 못하는 거야.
나는 부처님의 제자로서 모든 노력을 다했는데도 아직 괴로움에서 벗어나지 못했다.
차라리 집에 돌아가 편안하고 즐겁게 살면서 남에게 많이 베풀고 복을 지으며 사는 게 낫겠다.
이때 부처님이 이십억이의 마음을 알고 그를 불렀어.
이십억이야! 너는 세상에 있을 때 거문고를 잘 탔느냐?
예, 그렇습니다.
부처님은 거문고의 줄을 팽팽히 조이면 맑은 소리가 나는지 물었어.
띵 디디 띵띵
거문고의 줄이 끊어져 소리가 나지 않는다는 이십억이의 말에 부처님은 다시 물었어.
그럼 줄을 아주 느슨하게 하면 소리가 나더냐?
아닙니다. 줄이 늘어져 좋은 소리가 나지 않습니다.
줄을 어떻게 하면 맑고 아름다운 소리가 나더냐?
너무 조이지도 않고, 너무 느슨하게 하지도 않아야 합니다.
부처님은 정진이 너무 급하면 지쳐 쓰러지고, 반대로 너무 느리면 사람을 게으르게 한다고 말했어.
양 극단에 치우치지 않고 중도를 닦아야 한다는 부처님의 가르침으로 정진의 뜻을 이해한 이십억이는 다시 정진해 결국은 큰 깨달음을 얻었다고 해.

11장

어떻게 수행할까? 2

— 사마타(止)와 위빠사나(觀)

오행 중 다섯 번째는 지관(止觀)이야.
止觀
보시, 지계, 인욕, 정진과 지관을 따로 구분해 이야기하는 것은 그만큼 지관이 중요하다는 뜻이지.
止觀
지관은 가장 불교적인 방법이야.
무엇이 불교적인 방법인데요?
불교가 무엇이라고 했지?
'부처 불(佛)' 자에 '가르칠 교(敎)' 자, 즉 '부처님의 가르침'이잖아요!
부처님의 가르침에 따라 부처님처럼 깨달은 사람이 되는 거죠!

부처님을 다른 말로 뭐라고 부르지?
석가모니요! 히말라야 남쪽 북인도 지방에 살던 석가 족 출신의 성자라는 뜻이죠.
오~
석가모니는 깨달음을 얻기 전에 어떤 사람이었지?
그 정도는 상식이에요. 왕자님이셨어요! 왕자!
깨달음을 얻기 전에 부처님의 이름은 '고타마 싯다르타'였어.
왕자였을 때는 '싯다르타 태자'라고 불렸고, 출가해 수행할 때는 '수행자 고타마'라고 불렸지.
그리고 깨달은 후에야 '깨달은 자'라는 의미의 '부처'라고 불렸어.
싯다르타는 어떻게 깨달음을 얻었을까?
저도 그게 늘 궁금했어요.
책을 많이 읽고 공부를 많이 했을까요?
아니면 신께 열심히 기도한 걸까요?
가난하고 병든 사람을 많이 도와줘서?
탁

허허허. 모두 틀렸어. 답은 바로 '명상'이란다.
부처님 하면 제일 먼저 떠오르는 모습이 바로 나무 아래에서 눈 감고 생각하는 모습이잖니?
맞아요!
네!
세계적으로 유명한 기업인이나 방송인, 정치인, 운동선수들도 명상을 한다는 이야기를 들었어요. 그런데 명상이 정확히 뭐예요?
명상?
명상은 아주 오래전부터 많은 나라의 사람들이 해 오던 일로
눈을 감고 차분한 마음으로 깊게 생각하는 것을 말해.
어?
쉽잖아?
아주 간단할 것 같지만 꼭 그렇지만은 않아.
다리 저려~.
으~ 근질거려~.
사람의 마음은 아주 요상해서 눈을 감으면 마음이 차분해지는 것이 아니라 오만 가지 생각이 왔다 갔다 하기 때문이야.
배고파~.
생각하지 마.
생각은 무얼까?
피곤해지네.
나만 이런 건가?
나 잘하고 있는 거겠지
내일 성적표 나오는데 괜찮을라나.
이렇게 하면 깨달을까?
옆 반 준식이는 뭐 하지?
떨어지면 안 되는데
더워~ 팥빙수 먹고 싶다.
그만 생각하고 깨닫자.
명상은 마음을 다루는 기술로, 그 방법이 매우 다양해.
각자 나름의 명상법을 선택하는 게 중요해~.
눈을 감고 앉아 있으면 다 명상인 줄 알았는데! 명상법이 많다니요?
!
부처님이 태어난 인도는 명상법이 발달한 나라로 유명해.
지금도 그렇지만 부처님이 살았던 2,600년 전 인도에는 아주 많은 수행자가 있었어.

수행자들은 고통에서 벗어나 삶의 참된 의미를 찾고자 다양한 방법으로 명상을 했어.
당시 가장 유행했던 명상의 방법은 크게 '고행주의'와 '선정주의'로 나뉘어.
고행주의
선정주의
고행주의를 따랐던 수행자들은 풀과 나무껍질 또는 시체를 감쌌던 천만으로 몸을 가리거나
오로지 풀이나 쇠똥을 먹었어. 며칠씩 굶주리거나 발가벗고 가시 위에 누워 있기도 했지.
철푸덕
우웩!
그 밖에도 한 다리로 며칠씩 서 있기, 뜨거운 불 옆에 앉기, 물속에 눕기 등 다양한 방법으로 명상을 했어.
몸의 고통을 최대한 참아 내면 고통에서 벗어나 즐거움을 얻을 수 있다고 생각했기 때문이야.
이럴수가~.
심지어는 옷을 입지 않고 인도 전체를 돌아다니는 사람도 있었다고 해.
반면에 선정주의는 정신을 집중해 그 어떤 육체적 욕망에도 흔들리지 않고, 고요하고 움직이지 않는 마음 상태에 머무는 방법으로 명상을 했어.
휘이이이이

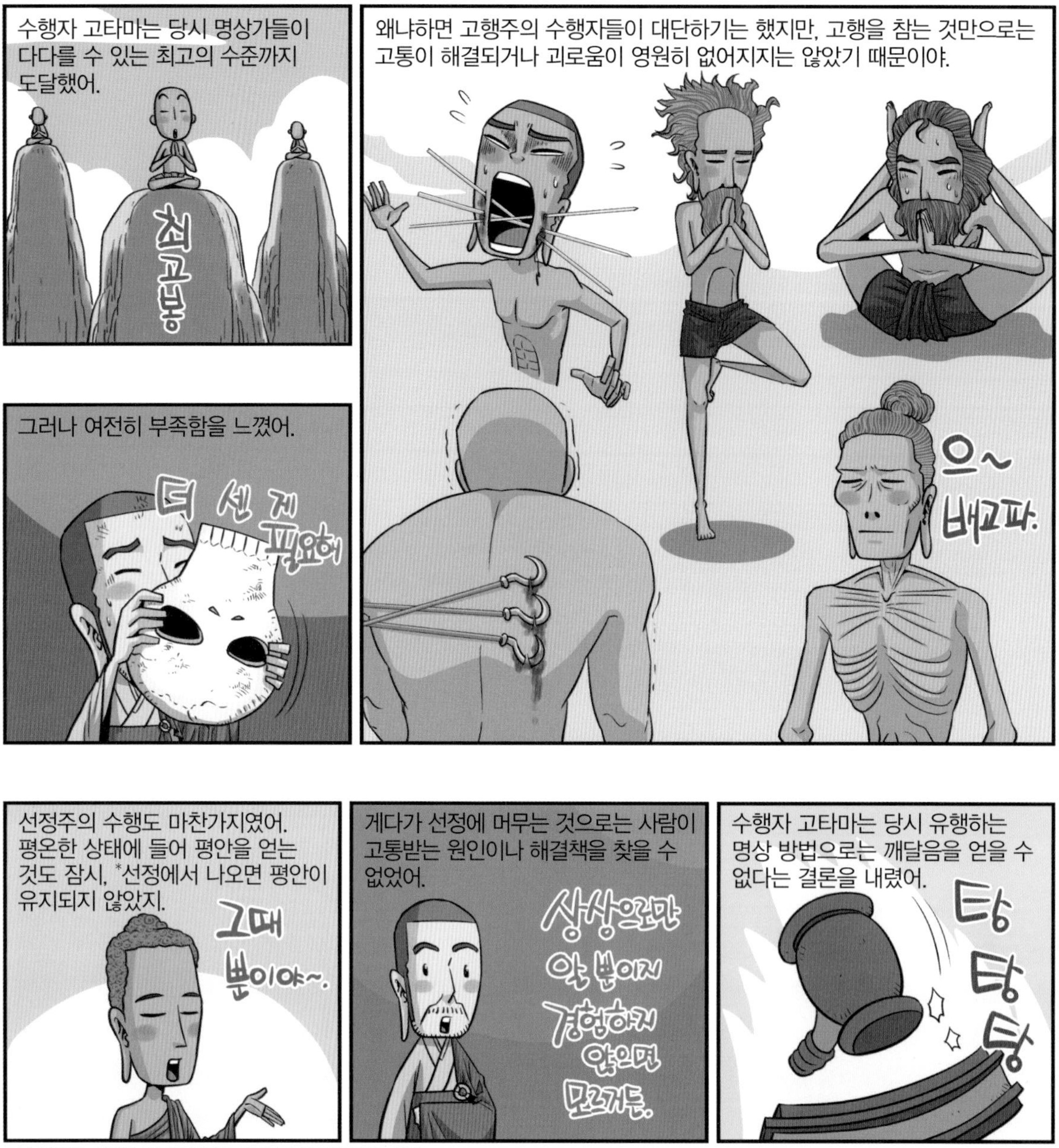
수행자 고타마는 당시 명상가들이 다다를 수 있는 최고의 수준까지 도달했어.
최고봉
왜냐하면 고행주의 수행자들이 대단하기는 했지만, 고행을 참는 것만으로는 고통이 해결되거나 괴로움이 영원히 없어지지는 않았기 때문이야.
그러나 여전히 부족함을 느꼈어.
더 센 게 필요해
으~ 배고파.
선정주의 수행도 마찬가지였어. 평온한 상태에 들어 평안을 얻는 것도 잠시, *선정에서 나오면 평안이 유지되지 않았지.
그때뿐이야~.
게다가 선정에 머무는 것으로는 사람이 고통받는 원인이나 해결책을 찾을 수 없었어.
상상으로만 알 뿐이지 경험하지 않으면 모르거든.
수행자 고타마는 당시 유행하는 명상 방법으로는 깨달음을 얻을 수 없다는 결론을 내렸어.
탕 탕 탕

* 선정(禪定): 마음이 하나의 경지에 정지해 흐트러짐이 없는 상태.

그래서 새로운 수행의 길을 떠나 그 길에서 깨달음을 얻었지.
그 방법이 바로 지관이야. 다른 말로는 '사마타'와 '위빠사나'라고 해.
아하!

지관에서 '지'는 '그칠 지(止)' 자로, 한 대상에 생각이 집중되어 생각의 흐름이 딱 멈추는 것을 말해.
止
STOP
인도 말인 '사마타(śamatha)'는 고요함이나 맑음을 의미해. 마음의 움직임을 조용하게 하는 것이지.
'관'은 '자세히 볼 관(觀)' 자로, 인연에 따라 생겨나고 없어지는 것을 잘 관찰하는 것을 말해.
觀
인도 말인 '*위빠사나'는 분리해서 관찰한다는 뜻으로, 그냥 보는 것에 머무르지 않고 더 깊이 보는 것을 의미해.
그만 보라고~!

* 위빠사나: vipassanā를 음역한 말로, 이 책에서는 서울대학교 철학사상연구소의 표기를 따랐습니다.

즉 사마타는 생각을 멈추는 것이고, 위빠사나는 잘 관찰하는 것이지.
톡톡
왜 생각을 딱 멈추는 사마타 수행을 해야 하나요?
호수에 바람이 불면 어떻지?
호수의 물이 마구 흔들리겠지?
호수의 물이 흔들리면 호수에 비친 달은 어떻게 보일까?
흔들리는 물에 따라 이렇게 저렇게 움직이며 찌그러져 보일 거야.

또 사진을 찍을 때 손이 흔들리면 어떻게 되지?
흔들
흔들
사진이 제대로 찍히지 않겠지?
띵
왜 생각을 멈추고 마음에 집중해야 하는지 알겠니?
글쎄요. 잘 모르겠어요.
모르는 게 당연해. 어렵지만 중요한 가르침이니 끝까지 들어 보렴.
세상의 모든 것은 고정된 실체가 없어.
그런데 오랜 세월 쌓인 편견과 고정 관념으로 세상을 보기 때문에 고통이 생기는 거야.
쇠고기다!
따라서 존재의 참모습을 있는 그대로 볼 수 있는 성능 좋은 현미경이 있어야만 삶의 고통에서 벗어날 수 있어.
호수에 바람이 불지 않아야 달을 있는 그대로 볼 수 있고
카메라를 잡은 손이 흔들리지 않아야 사진이 제대로 찍히는 것처럼 말이야.
찰칵
온갖 생각이 멈춰야 있는 그대로의 마음이 보인다는 말씀이군요.
그렇지!

그럼 사마타는 어떻게 하는 건가요? 어떻게 해야 마음이 조용해질까요?
사마타를 하기 위해서는 조용한 곳에 바르게 앉아 뜻을 곧게 해야 해.
조용한 곳이라면 산속? 그래서 절이 산에 있는 건가?
끄덕 끄덕
출가한 수행자라면 산속이 더 좋겠지만, 보통의 사람은 말 그대로 조용한 곳이면 돼.
학교도 다니고 직장도 나가야 하는데, 어떻게 산속에서만 수행할 수 있겠니?
아하하.
우리나라의 절이 산속에 있는 것은 산이 수행하기 좋은 환경인 까닭도 있지만, 조선 시대 때 유학자들이 불교를 배척한 결과이기도 해.
유교
다 쓸어 버려~!
조선 시대
바르게 앉는 것은 아빠 다리에 허리를 곧게 펴고 앉는 것을 말씀하시는 건가요?
아~ 다리 저려!
편안히 앉아서 오랜 시간 동안 사마타를 하는 데 방해물이 없게 하는 것을 말해.
마치 자연과 한 몸이 되듯이~.
자세는 반가부좌나 결가부좌로 앉는 것이 좋지.
결가부좌
반가부좌
편안하게 앉으라고 하고는 반가부좌나 결가부좌라니요? 오히려 더 힘들어요.
늘 의자에 앉아서 생활하는 사람은 반가부좌나 결가부좌가 많이 불편할 거야.
그러나 이런 자세는 몸의 긴장을 풀고, 정신을 집중하는 데 아주 좋은 자세란다.
오~ 점점 좋아!

그리고 익숙해지면 매우 편안한 자세지.

반가부좌는 왼쪽 다리를 오른쪽 넓적다리 위에 두고 몸 가까이 끌어당겨 왼쪽 다리 발가락이 오른쪽 허벅지와 가지런히 놓이는 자세야.

결가부좌는 반가부좌와 달리 오른쪽 다리를 반듯이 왼쪽 넓적다리 위에 두고 왼쪽 다리를 오른쪽 허벅지 위에 두는 자세지.
삐걱
먼저 머리와 목을 바르게 하고, 코와 배꼽이 서로 마주해 한쪽으로 기울거나 위아래로 처지지 않도록 반듯하게 앉아.
몸과 팔다리를 스스로 안마하듯 여러 차례 흔들며 팔다리가 어긋나지 않게 해.
몸은 바르고 곧게 펴서 어깨뼈가 마주 보도록 한 뒤 몸이 구부러지거나 한쪽으로 솟지 않게 해.
손은 편안하게 두어야 하는데, 왼쪽 손바닥을 오른손 위에 두고, 손을 겹쳐 왼쪽 다리 위에 놓은 뒤 몸 가까이 끌어당겨 한가운데에 놓고 편안하게 둬.
허리띠는 느슨하게 해야 하지만, 앉아 있을 때 떨어지지 않게 해야 해.

자세도 중요하지만 그보다는 이런 수행을 하는 이유가 무엇인지 생각해야 해.
수행이나 명상은 돈을 많이 벌거나 성공해 이름을 얻기 위해 하는 것이 아니야.
노노
깨달음을 얻어 나와 남을 고통에서 벗어나게 하기 위해서지.
깨달음
고통
자세를 바르게 잡았으면 눈을 감고 가만히 생각해야 해.
눈을 감고 가만히 있으면 온갖 생각이 왔다 갔다 할 거야.
어제 저녁에 먹은 치킨이 떠오르기도 하고, 성적 걱정이 올라오기도 하며 몇 년 전에 친구랑 싸웠던 일이 생각날지도 몰라.
투닥
투닥
그러나 그 생각에 따라가지 말고 마음에 집중해야 해.
흡!
처음에는 집중하려고 노력해도 잘 되지 않을 거야.
악! 어떻게 해야 해?
아주 짧은 순간 집중했다가도 바로 다른 생각에 빠지거나 잠이 와 멍한 상태가 될 거야.
쿨쿨
멍~
옴냐 옴냐…
그럴 때일수록 마음의 상태를 알아차리고 마음에 집중해야 해.
초 집중!
집중해야 한다는 생각도 하지 말고 집중해야 하지.
깜짝
또 자냐?
자꾸 하다 보면 집중의 시간이 길어지면서 졸음도 줄어들고 맑은 정신 상태에 이를 거야.
누가 내 명상을 방해하는 거야?
벌떡

그러다 보면 마침내, 온갖 생각이 딱 멈추고 마음이 한곳에 집중되면서 환해지는 상태에 도달하게 될 거야.
이런 상태를 '삼매' 또는 '선정'이라고 해.
독서 삼매경이나 게임 삼매경에 쓰는 말이죠?
맞아. 삼매경이라고도 하지.
전 종종 게임 삼매경에 빠지죠!
아 창피해~.
게임 삼매경에 빠졌을 때 어떤 모습이었니?
게임 외에는 아무것도 생각나지 않아요! 시간 가는 줄 모르고 정말 열심히 하죠. 얼마나 재미있다고요!
에잇!
사마타 수행으로 얻은 삼매나 게임 삼매 모두 오직 그것에만 집중해 시간 가는 줄 모르고 신바람이 나는 상태에 이르는 것은 같아.
그러나 부작용을 일으키는 게임 삼매와 달리, 사마타 수행으로 얻은 삼매는 정신을 온전히 마음에 집중하게 만들어 세상의 모습을 있는 그대로 볼 수 있게 해.
아오! 피곤해~!
비틀
비틀
정신이 건강해져 몸도 마음도 튼튼해졌어!
서로 영향을 주고받으면서 끊임없이 변화하고 결국은 모두가 하나인 존재의 참모습을 알게 되지.
샘~!
오~

이러한 상태를 '진여 삼매'라고 해. 본래 마음, 즉 진여에 온전히 집중한 상태라는 뜻이지.
슈우우
우우웃
진여가 어떠한지 알게 되면 대승에 대한 믿음이 커지고 깨달음의 길에서 물러서지 않는 단계에 빨리 이를 수 있게 돼. 점차 많은 지혜도 얻을 수 있지.
슈우우
지혜
슈우우
그런데 여기서 아주 조심해야 할 것이 있어.
마음을 오직 하나에만 집중하다 보니 이상한 경험을 하게 되는 경우가 많거든.
지금도 이상한 경험을 하고 있는데….
정신을 집중하고 있는 중에 벌레나 전갈, 뱀 같은 것이 나타나 얼굴 등 온몸을 기어 다니거나
쉬이익
스윽
스윽
귀신이 나타나거나 예쁜 여자 혹은 멋진 남자가 야한 모습으로 나타나 유혹하기도 하지.
그게 정말인가요?
잘못하면 귀신이 들리거나 정신 나간 사람이 되는 거야. 한마디로 폐인이 되는 거지.
쟤 미쳤어.
아하하….
걸리면 마이 아파~.
꺄르르 호호….
실제로 도를 닦다가 정신이 이상해진 사람이 있나요?
《대승기신론》에 없는 재미있는 이야기 하나 해 줄까?

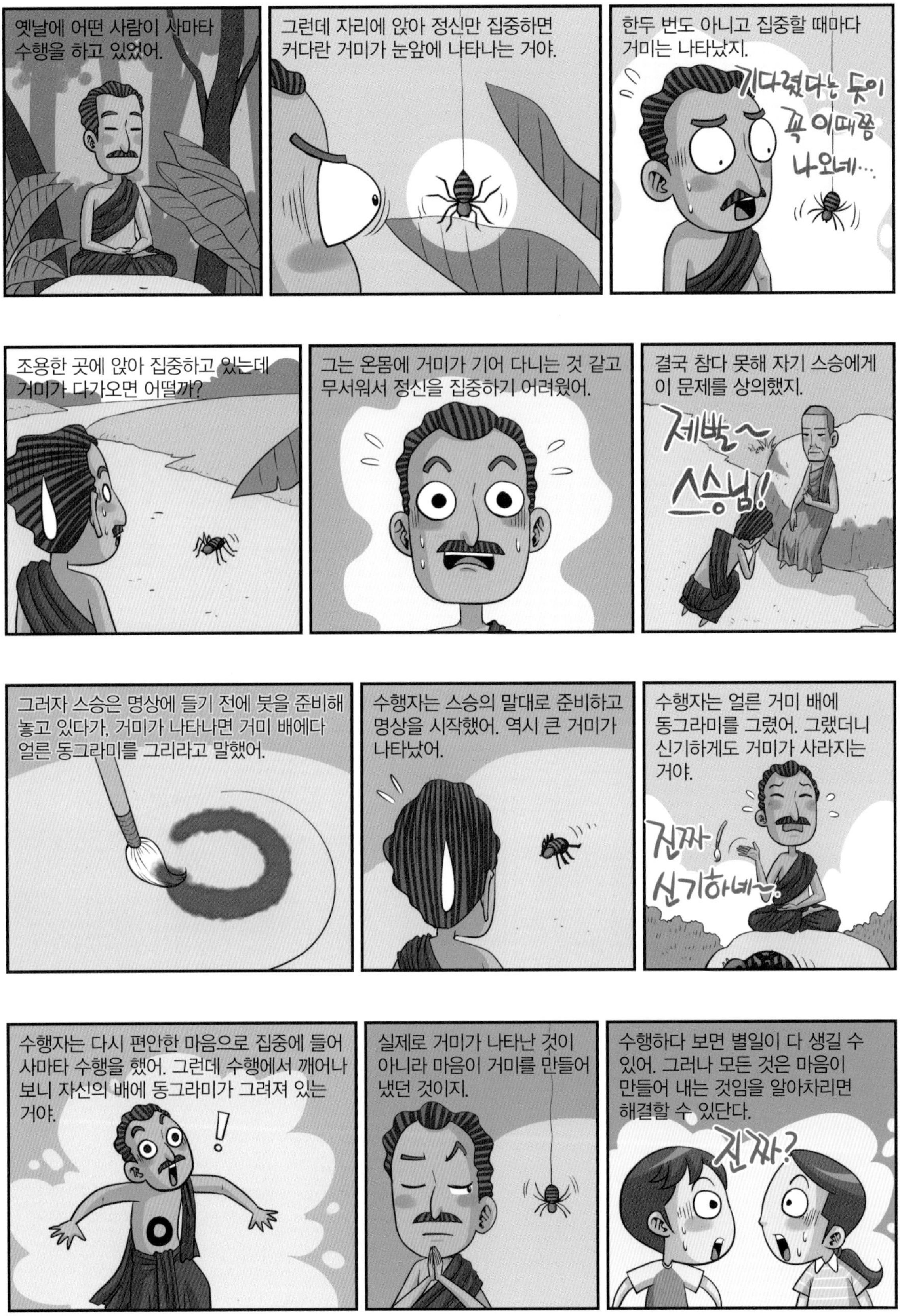
옛날에 어떤 사람이 사마타 수행을 하고 있었어.
그런데 자리에 앉아 정신만 집중하면 커다란 거미가 눈앞에 나타나는 거야.
한두 번도 아니고 집중할 때마다 거미는 나타났지.
기다렸다는 듯이 꼭 이때쯤 나오네….
조용한 곳에 앉아 집중하고 있는데 거미가 다가오면 어떨까?
그는 온몸에 거미가 기어 다니는 것 같고 무서워서 정신을 집중하기 어려웠어.
결국 참다 못해 자기 스승에게 이 문제를 상의했지.
제발~ 스승님!
그러자 스승은 명상에 들기 전에 붓을 준비해 놓고 있다가, 거미가 나타나면 거미 배에다 얼른 동그라미를 그리라고 말했어.
수행자는 스승의 말대로 준비하고 명상을 시작했어. 역시 큰 거미가 나타났어.
수행자는 얼른 거미 배에 동그라미를 그렸어. 그랬더니 신기하게도 거미가 사라지는 거야.
진짜 신기하네~.
수행자는 다시 편안한 마음으로 집중에 들어 사마타 수행을 했어. 그런데 수행에서 깨어나 보니 자신의 배에 동그라미가 그려져 있는 거야.
!
실제로 거미가 나타난 것이 아니라 마음이 거미를 만들어 냈던 것이지.
수행하다 보면 별일이 다 생길 수 있어. 그러나 모든 것은 마음이 만들어 내는 것임을 알아차리면 해결할 수 있단다.
진짜?

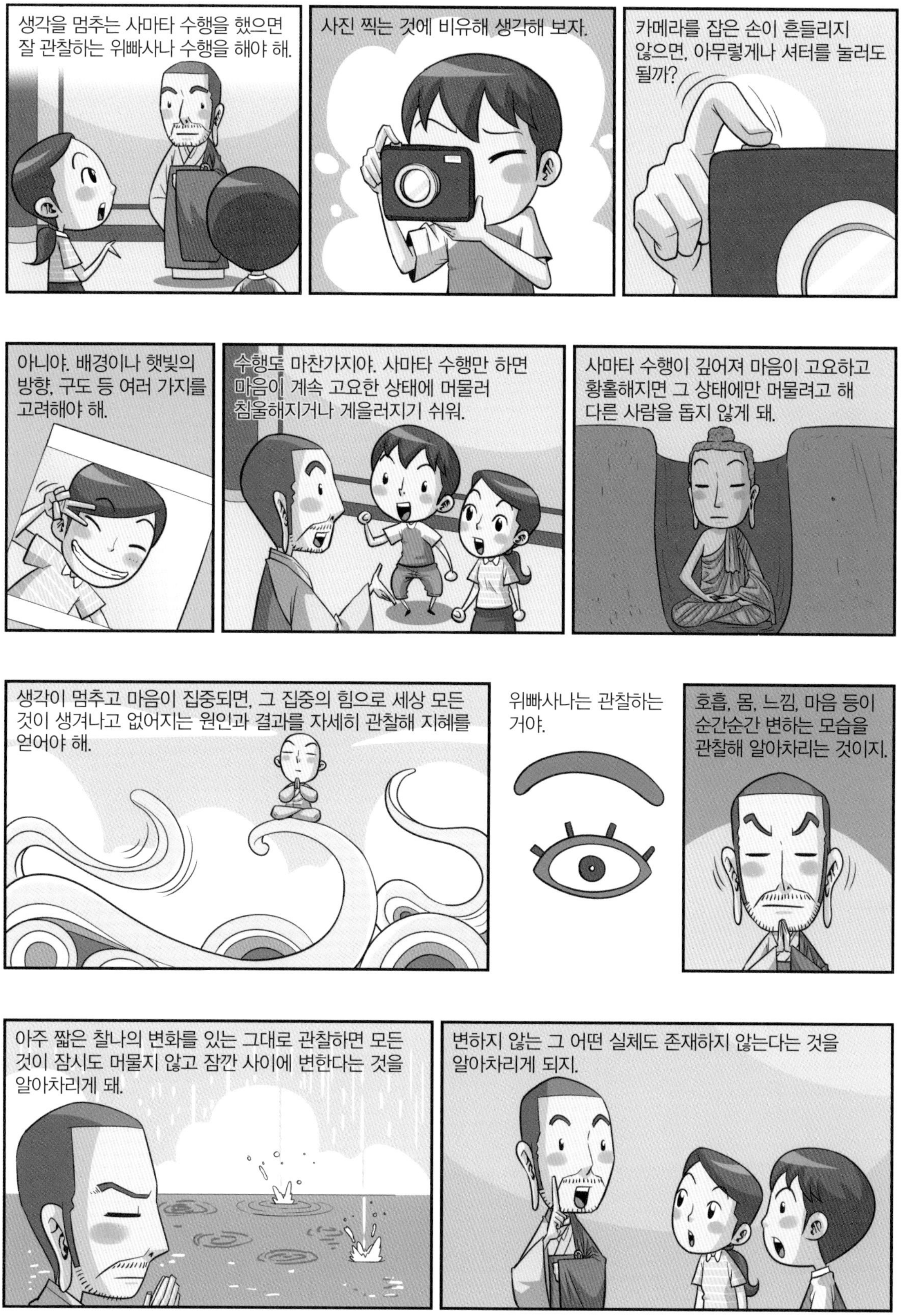

생각을 멈추는 사마타 수행을 했으면 잘 관찰하는 위빠사나 수행을 해야 해.
사진 찍는 것에 비유해 생각해 보자.
카메라를 잡은 손이 흔들리지 않으면, 아무렇게나 셔터를 눌러도 될까?
아니야. 배경이나 햇빛의 방향, 구도 등 여러 가지를 고려해야 해.
수행도 마찬가지야. 사마타 수행만 하면 마음이 계속 고요한 상태에 머물러 침울해지거나 게을러지기 쉬워.
사마타 수행이 깊어져 마음이 고요하고 황홀해지면 그 상태에만 머물려고 해 다른 사람을 돕지 않게 돼.
생각이 멈추고 마음이 집중되면, 그 집중의 힘으로 세상 모든 것이 생겨나고 없어지는 원인과 결과를 자세히 관찰해 지혜를 얻어야 해.
위빠사나는 관찰하는 거야.
호흡, 몸, 느낌, 마음 등이 순간순간 변하는 모습을 관찰해 알아차리는 것이지.
아주 짧은 찰나의 변화를 있는 그대로 관찰하면 모든 것이 잠시도 머물지 않고 잠깐 사이에 변한다는 것을 알아차리게 돼.
변하지 않는 그 어떤 실체도 존재하지 않는다는 것을 알아차리게 되지.

내 몸과 마음이지만 내가 어떻게 숨을 쉬고
내 마음이 어떤지 정확하게 안다고 할 수 없어.
숨 쉬는 게 이상해!
후아!
후아!
그러므로 위빠사나를 해야 하는 거야.
스캔 중
지이잉
위빠사나
위빠사나를 통해 우리는 몸과 마음을
있는 그대로 자세히 관찰할 수 있어.
관찰하는 대상은 매우 다양해.
가장 많이 관찰하는 것 중 하나가 바로
호흡이야.
평상시의 호흡
후읍
하아~
호흡은 언제 어디서나 없어지지 않고
알아차리기 가장 쉽거든.
아플 때의 호흡
하아
하아
사람의 특성에 따라 위빠사나의
방법은 달라져.
위빠사나와 관련해 《대승기신론》에는
없지만 재미있는 이야기 하나 더
들려줄게.
와아아~
부처님의 제자 중 하나인 아난타는
무엇이든 한 번만 들으면 그대로
기억하는 천재였어.
게다가 외모도 매우 뛰어난
미남이었지.
어느 날 아난타가 혼자서 밥을 얻으러
나갔어.

그런데 스님이 왜 밥을 얻어먹어요?
옛날 승려들은 밥을 얻어먹었어. 이를 걸식 또는 탁발이라고 해.
밥을 얻어먹는 것은 단순히 배를 채우는 것이 아니라 수행의 한 방법이야.
아하~
아무것도 갖지 않음으로써 욕심을 내려놓고, 다른 사람에게 구걸하며 잘난 체하는 마음을 내려놓는 거야. 또 밥을 주는 사람이 보시를 실천하게 할 수도 있지.
욕심
잘난 체
보시
탁발에는 엄격한 규칙이 있었어.
1. 항상 밥은 얻어먹는다.
2. 밥을 얻어먹을 때는 가난한 집과 부잣집을 가리지 않는다.
3. 하루에 한 끼만 먹는다.
4. 일곱 집을 넘지 않는다.
5. 한 번 갔던 집은 다시 찾아가지 않는다.
하루에 한 끼만 먹는데 일곱 집이 아무도 안 주면 밥을 굶게 되나요?
그렇지.
일곱 집에서 계속 고기만 주면 어떻게 해요?
얻어먹는 것을 가려서는 안 돼. 주는 대로 먹어야지.
감사히 잘 먹겠습니다.
그래서 부처님이 살아 있을 때는 승려가 고기를 먹어서는 안 된다는 계율이 없었어.
와아 그럼 그때는 스님도 고기 실컷 드셨겠다.
으이구.
아무튼 보통 밥을 얻으러 나갈 때는 여러 승려가 함께 가는데 이날은 아난타 혼자서 나가게 된 거야.
잘 갔다 와~.
아난타는 밥을 얻어 돌아오는 길에 목이 말라 물을 길어 가는 한 여인에게 물을 청했어.

여인은 물을 떠 주며 아난타를 힐끗 보았는데, 포도 알 같은 눈에 반달 같은 눈썹, 여자같이 고운 입에 마치 눈처럼 흰 피부를 가진 아난타에게 한눈에 반하고 말았어.
여인은 물동이를 버리고 아난타를 따라가 그가 어디에 사는지 확인하고 집으로 돌아갔어.
집에 돌아온 여인은 쓰러져 울며 "아난타에게 시집가고 싶어요! 다른 사람에게는 죽어도 시집가지 않을 거예요. 어머니가 아난타에게 허락을 받아 주세요."라고 간청했어.
아~ 그분은 스님인데 뭔 소리여~?
그러나 어머니는 아난타에게 허락받을 방법을 찾을 수 없었어.
왜 하필 스님이야~.
그러자 여인은 아난타에게 시집가지 못하면 차라리 죽겠다며 물도 입에 대지 않았어.
애가 탄 어머니는 아난타를 집으로 초대했어.
초청장
아난타님 우리 집으로 오세요.
어머니는 아난타에게 불쌍한 중생의 생명을 구하는 셈 치고 딸의 청을 들어 달라고 간청했어.
그러나 아난타는 부처님의 제자라 결혼할 수 없다며 거절했지.
사실 여인의 어머니는 주술을 쓸 수 있는 사람이었어.
녀를 꽁꽁 묶어서…
어머니는 주술로 아난타를 묶고 그 곁에 잠자리를 편 뒤, 예쁘게 몸치장한 딸을 들였어.
으~

이에 아난타는 부처님의 제자로서 주술 하나도 당하지 못하는 자신을 탄식하며 부처님이 계시는 쪽을 향해 구원을 요청했어.
도와줘요, 붓다!
그리고 부처님의 도움으로 간신히 그곳에서 나올 수 있었지.
아난타를 놓친 여인은 부처님과 제자들이 지내고 있던 *기원정사까지 쫓아왔어.

* 기원정사: 석가모니와 그 제자들이 설법하고 수도할 수 있도록 수달장자가 세운 절.

여인의 눈에는 아난타의 모습밖에 보이지 않았지.
아! 역시 멋있는 아난타님~!
부처님이 여인을 불렀어.
무엇 때문에 아난타를 따라왔는가?
제가 들으니 아난타는 부인이 없고, 저는 남편이 없으니 제가 아난타의 부인이 되고자 합니다.
아난타는 승려라 머리를 깎았으나 너는 그렇지 않으니 너도 머리를 깎을 수 있다면 아난타로 하여금 네 남편이 되도록 하겠다.
어렵지 않습니다.
우선 네 어머니의 허락을 받고 머리를 깎고 오너라.
여인이 어머니에게 이 사실을 말하자 어머니는 이렇게 대답했어.
내가 너를 어떻게 키웠는데, 승려의 처가 되려고 하느냐? 돈도 많고 잘생기고 똑똑한 남자를 골라 너를 시집보낼 것이다.
전 아난타의 아내가 되면 살 것이고, 그렇지 않으면 죽을 거예요.
절 진정으로 사랑하신다면 제 소원을 들어주세요!

어머니는 어쩔 수 없이 눈물을 머금고 딸의 머리를 깎아 주었어.
싹둑 싹둑
여인은 하늘을 나는 듯이 부처님께 달려갔어.
그러자 부처님은 여인에게 무엇을 보고 아난타를 사랑하느냐고 물었어.
여인은 아난타의 눈, 코, 입, 귀, 소리, 몸매, 걸음걸이 등을 보고 사랑하게 되었다고 대답했지.
아난타의 눈에는 눈물이, 코에는 콧물이, 입에는 침이, 귀에는 귀지가, 몸뚱이에는 똥과 오줌이 있을 뿐이다.
네가 본 몸은 가죽 주머니에 불과하지 않은가?
만일 네가 아난타와 부부가 되어 자식을 낳았는데 그 자식이 죽으면 창자를 오린 듯한 슬픔을 느낄 것이다.
으흑흑흑…
부처님은 그 외에도 적절한 비유를 들어 말씀하셨어.
매우 총명했던 여인은 부처님의 말씀에 따라 몸을 관찰하고, 남녀 간의 사랑과 욕정 그리고 인간 생활을 관찰했어.
그러자 몸은 추악하고, 더럽고, 거칠고, 불안하며 쉼 없이 늙을 뿐 아니라 병들고 썩어 마침내 송장이 된다는 것을 깨달았어.
그러자 모든 욕망이 사라졌지.
드디어 깨달음을 얻은 거야.
아하~!

일어나 아난타에게 가서 사랑을 구해 보아라.
제가 어리석은 탓으로 아난타를 쫓아다녔습니다.
여인은 깨치고 나니 마음이 밝아져 마치 어둠 속에 등불이 켜진 것과 같고, 풍랑에 깨어진 배가 언덕에 닿은 것과 같으며 눈먼 봉사가 부축받은 것이나 노인이 지팡이를 짚은 것과 같았어.
이 이야기는 《마등가녀경》에 나와. 여인의 이름이 바로 마등가녀거든.
마등가녀경
마등가녀는 부처님의 말씀을 듣고 몸, 남녀 간의 사랑, 인생 등을 관찰해 있는 그대로의 모습을 알게 되었어.
다시 말해 위빠사나 수행을 한 것이지.
위빠사나도 사마타처럼 자리에 앉아서 하는 건가요?
위빠사나는 자리에 앉아서도 하지만, 말씀을 듣거나 일상생활을 하면서도 할 수 있어.
관찰을 잘 해야지!
매순간 일어나는 변화를 있는 그대로 관찰하고, 세상 모든 것이 생겨나고 사라지는 원인과 결과를 관찰하는 것이 위빠사나이기 때문이야.
사마타를 할 때는 알아차려야 삼매에 들 수 있고, 위빠사나를 할 때는 사마타에 들어야 있는 그대로를 볼 수 있어.
삼매
사마타
위빠사나
사마타와 위빠사나는 새의 두 날개와 같고, 수레의 두 바퀴와 같아.
삐그덕
삐그덕
날개가 하나밖에 없는 새는 하늘을 날 수 없고, 바퀴가 하나밖에 없는 수레는 물건을 옮길 수 없어.
와르르
이처럼 사마타와 위빠사나는 같이 닦아야 해.
사마타
위빠사나
지와 관, 즉 사마타와 위빠사나를 함께 닦아야만 깨달음에 이를 수 있는 거야.
깨달음
지
관

12장 나무아미타불

저도 부처님의 마음인 진여가 늘 깨어 있는 사람이 되고 싶어요.
저도요~
그러려면 보시, 지계, 인욕, 정진, 지관을 실천해야 하는데, 그걸 제가 할 수 있을까요?
마음만 있다면 할 수 있단다.
가르침을 배우는 것만으로 바른 믿음을 얻어 깨달음의 길에서 물러서지 않는 사람도 있어.
우아!
진짜?
물론 큰 용기를 내야 해.
헙!
겁이 많고 의지가 약한 사람은 오행을 끝까지 감당하지 못하거든.
으~ 고만 도고 싶어.

사람들은 사는 것이 너무 바쁘고 열심히 노력해도 얻는 것이 별로 없다며 불평하는 경우가 많아.
살기도 바빠~!
진전이 없어~.
또 화내지 말아야지 했다가도 작은 일에 크게 화를 내거나
말 걸지 마~!
화르르
앗! 뜨거워!
자기도 모르게 욕심에 휘둘리며
난 그냥 금시계가 갖고 싶었어요~.
너가 바보냐?
결국 포기하고 말아.
깨달음은 너무 힘들어~.
좋은 본보기가 여기 있어.
?
부처님의 제자 중 한 사람인 고티카야. 고티카는 열심히 정진해 깨달음을 얻었어.
그러나 정진을 마치니 도로 제자리에 돌아오고 말았지. 그래서 고티카는 다시 정진했지만 정진을 마치니 역시 제자리였어.
이것이 깨달음?
쿵
이번에야말로!
안 돼~.
이렇게 여섯 번을 반복한 후 고티카는 스스로 목숨을 끊었어.
부처님!
부디
성불하세요.
이것은 깨달음에 대한 결정적인 확신이 없었기 때문에 생긴 일이야.
남 얘기가 아니네요.
이처럼 깨달음의 길을 가는 것은 쉽지 않아.
너무 불쌍해요~.
모든 사람이 깨달음의 길에서 물러서지 않는 단계에 도달할 수 있다면 얼마나 좋을까?
진짜 좋을 텐데.

그래서 부처님은 확신이 없고 의심을 갖는 사람을 위해 좋은 방법을 준비해 두셨어.
정말요~?
그것은 바로 염불(念佛)을 하는 거야.
염불?
부처님을 생각하며 부처님의 이름을 부르는 것이지.
念 佛
생각을 읊을 염 부처 불
불자들이 '나무아미타불!' 하며 염불을 외우는 모습을 본 적이 있을 거야.
나무아미타불~.
근데 무슨 뜻이에요?
'나무'는 인도 말인 '나마스(Namas)'를 소리 나는 대로 쓴 것으로 '~에 돌아가 의지한다.'라는 뜻이야.
어디에 돌아가 의지하겠다는 것일까?
나무아미타불
나마스(Namas)
아미타불, 즉 아미타 부처님께 돌아가 의지하겠다는 거야.
아하! 그런 깊은 뜻이!
근데?
아미타 부처님은 석가모니 부처님의 다른 이름인가요?
깨달음을 얻으면 누구나 부처가 될 수 있기 때문에 부처는 한 분이 아니야.
그렇구나~.
깨달음을 얻어 수많은 중생을 구하는 부처가 많아지면 세상이 더 살기 좋아지겠어요!
나도 빨리 부처가 되고 싶다. 나무아미타불.
나무아미타불 나무아미타불…
깨달음을 얻으면 누구나 부처가 돼.
그러니 부처는 과거, 현재, 미래 그리고 동, 서, 남, 북 모든 곳에 있지.
북
서
동
남
각각의 부처는 '정토'라고 불리는 나라를 가지고 있어. 아주 깨끗한 땅이라는 뜻이지.
정 토

《무량수경》을 보면 옛날에 법장이라는 승려가 있었는데, 48개의 소원을 세웠대.
나의 소원
1
2
3
48
그 가운데 열여덟 번째 소원이 다음과 같았어.
지극한 믿음으로 나의 국토를 믿고 좋아해 그곳에 태어나기를 원하는 중생이 있다면, 내 이름을 열 번만 불러도 반드시 그곳에서 태어나게 될 것이다.
법장은 48개의 소원을 모두 이루고 아미타불이 되었어.
아미타불은 서쪽 저 멀리에 즐거움이 넘치는 나라를 만들었는데
이 나라의 이름은 '극락정토'야.
서쪽에 있다고 해서 '서방 극락정토' 라고도 부르지.
오호~
극락정토는 금과 은, 옥으로 된 땅에 칠보로 된 나무들이 곳곳에 늘어서 있어.
시원한 바람이 불어오면 아름다운 음악이 흘러나오지.
연못에는 달고, 시원하고, 부드럽고, 가볍고, 깨끗하고, 냄새가 없고, 목 넘길 때 부드럽고, 마셔도 배탈이 나지 않는 물이 흘러넘쳐.
꿀꺽
와! 시원해~
극락정토의 물은 바닥의 모래가 훤히 비치고 물결이 잔잔히 일면 그 물결로부터 여러 가지 음악과 부처님의 말씀이 흘러나와.
그 말씀을 들으면 마음이 한량없이 기쁘고 욕심은 저절로 없어져. 괴로움은 이름조차 들어 볼 수가 없지.
극락정토는 돈이나 권력으로 갈 수 있는 곳이 아니야.
오직 간절히 부르는 '나무아미타불' 염불로 갈 수 있어.
나무아미타불
나무아미타불~
나무아미타불
나무아미타불
나무아미타불~
나무아미타불
나무아미타불
나무아미타불~
나무아미타불~

극락정토에서는 늘 아미타불을 만나 그 말씀을 듣기 때문에 깨달음의 길에 대한 의심이 사라져.
나무아미타불
나무아미타불
그러므로 극락정토는 깨달음이 확실히 보장된 곳이지.
극락정토 = 깨달음
한 가지는 참 좋은데 한 가지는 참 싫어요!
무엇이 좋고, 무엇이 싫지?
우선 참 쉬워서 좋아요! 아미타불이 사는 극락정토에 태어나고 싶다는 간절한 마음으로 나무아미타불만 외우면 되잖아요.
그렇지만 극락정토는 죽어서 가는 곳이니, 깨달음을 얻겠다고 빨리 죽어서 극락정토에 갈 수는 없잖아요?
그건 오해란다.
?
아미타불이 사는 극락정토는 죽어서 가는 세계일 수도 있지만 마음속에 있는 본래 마음 또는 양심, 진여일 수도 있거든.
즉 나무아미타불은 죽어서 극락정토에 가겠다는 말이기도 하지만
지금 여기에서 마음의 본래 자리로 돌아가겠다는 간절한 소원이기도 한 거야.
그렇게 되면 극락정토는 서쪽 멀리에 있는 것이 아니라 바로 여기에 있게 되지.
여기가?!
마음이 맑아져 진여를 깨달으면 그 자리가 바로 극락정토가 되는 거야.
아….
다 마음먹기에 달린 거란 말씀.

어리석은 꿈, 즉 무명에서 깨고 보면 이쪽도, 저쪽도 없어.
입으로 부처님의 이름을 외우고, 귀로 부처님의 가르침을 듣기만 해도 누구나 깨달음을 얻을 수 있어.
나무아미타불
나무아미타불~.
그래서 신라 사람들에게 부처님의 이름을 알게 하고, 나무아미타불을 외우게 하신 거군요.
후후. 그렇지.
어때? 이제 대승에 관한 부처님의 가르침이 무엇인지 깨닫고 올바른 믿음이 생겼니?
대승불교
만약 깨달음을 얻고자 한다면 이 책을 열심히 읽고 익히는 게 도움이 될 거야.
대승기 신론소
겁을 먹거나 약한 마음만 먹지 않는다면 분명히 깨달음을 얻을 수 있단다.
과거의 보살들도 대승의 가르침으로 믿음을 얻었고, 현재의 보살들도 대승의 가르침으로 믿음을 얻고 있으며 미래의 보살들도 대승의 가르침으로 믿음을 얻을 것이기 때문이야.

불교의 경전은 어떻게 만들어졌나요?

석가모니 부처님이 살았던 기원전 6세기경은 지금처럼 기록 문화가 발달하지 않았기 때문에 당시에는 부처님의 말씀을 직접 듣거나 이미 들은 사람을 통해 불교를 공부했어요. 그러나 사람들이 외운 것을 입에서 입으로 전하다 보니 잘못 전달되는 경우가 많았어요. 또 듣는 사람마다 다르게 받아들여 본래 뜻과 다르게 전달되는 경우도 있었지요. 부처님이 살아 있을 때에는 부처님께 직접 물어 잘못 전달된 내용을 고칠 수 있었지만 부처님이 열반에 든 후에는 그럴 수 없었어요. 그러자 시간이 갈수록 부처님의 가르침에 대한 해석을 두고 여러 가지 문제들이 생겨났어요.

부처님의 십대 제자(석가모니의 뛰어난 제자 열 사람) 중 한 명인 마하가섭은 이러다가 교단이 뿔뿔이 흩어질까 봐 걱정이 되었어요. 마하가섭은 제자들 중에서도 뛰어난 500명의 승려를 모았어요. 부처님의 가르침을 정리하는 회의를 소집한 거예요. 이 모임을 '제1차 결집'이라고 불러요.

마하가섭은 먼저 부처님의 말씀을 가장 잘 기억하는 사람을 뽑았어요. 기억력이 좋고, 25년 동안 부처님을 가까이에서 모셨던 아난타와, 규율을 가장 잘 알고 잘 지켜 온 우바리 등이 뽑혔지요.

승려들이 모인 자리에서 아난타가 "나는 이렇게 들었습니다. 어느 때 부처님께서……."라는 말로 부처님의 가르침을 기억해 외우면 500명의 승려들이 아난타의 기억이 맞는지 확인하고, 잘못된 내용이 있으면 고쳤어요. 그러고 나서 모두 함께 그것을 외웠지요. 이것이 바로 '경'이에요. 또 규칙을 가장 잘 지켜 온 우바리가 승려들의 생활 규칙을 소리 내 외우면 승려들은 다같이 그것을 외웠어요. 이것은 '율'이 되었지요.

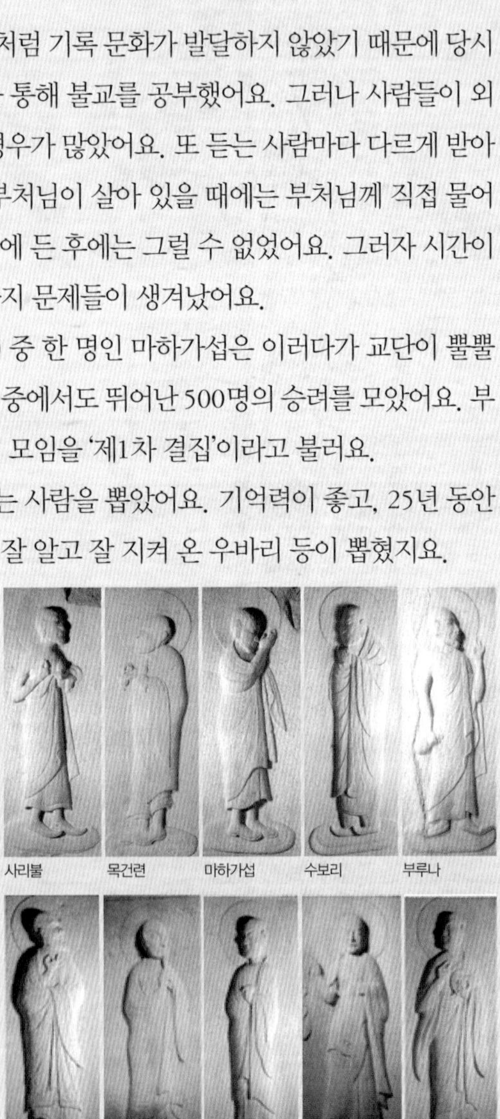

사리불
목건련
마하가섭
수보리
부루나
가전연
아나율
우바리
나후라
아난타

석굴암에 새겨진 부처님의 십대 제자상

제1차 결집 후 100여 년의 세월이 흘렀어요. 그 사이 불교는 넓은 지역으로 퍼져 나갔지요. 불교를 믿는 사람이 많아지면서 또다시 부처님의 가르침에 대한 이견이 생겨났어요. 특히 율에 관해 의

견 차이가 컸는데 이는 율이 생활 속에서 지켜야 할 규칙이라 지역과 시대 그리고 사람에 따라 해석이 조금씩 달랐기 때문이에요.

특히 바이살리 지역의 젊은 승려들은 계율에 대해 열 가지의 새로운 주장을 했어요. 예를 들어 '오후가 지나면 음식을 먹지 않아야 한다.'는 계율을 두고 '오후가 지나도 우유는 마셔도 된다.'고 해석했지요. 당시의 승려들은 일을 하지 않고 탁발에 의존해 하루에 한 끼씩 먹으며 오직 수행에만 전념했어요. 그러다 보니 먼 곳에 갔다가 낮 12시가 넘어 돌아올 경우에는 다음 날까지 계속 굶어야 했지요. 그래서 바이살리의 젊은 승려들은 우유 정도는 마셔도 되지 않나 생각한 거예요.

그 외에도 완전하게 숙성되지 않은 술을 약으로 먹는 것과, 음식이 아닌 금이나 은을 보시받는 것에 대해서도 바이살리의 승려들은 다른 주장을 했어요. 이는 당시 바이살리가 상업이 발달해 화폐 경제가 활발히 이루어지던 곳이었기 때문에 생길 수 있었던 논쟁이었지요.

700명의 승려가 모여 이 문제를 논의했어요. 일부 승려들은 계율을 엄격하게 지켜야 한다고 생각했어요. 그러나 많은 승려들이 계율은 수행에 도움을 주기 위해 만든 것이므로 시대의 변화에 따라 바뀔 수 있다고 주장했어요. 이들은 자신들의 주장을 지키기 위해 '대중부'라는 새로운 교단을 만들고 독립했어요. 그 후 교단은 상좌부와 대중부로 분리되었어요. 상좌는 윗자리에 앉아 있는 지도자급 사람들을, 대중은 일반인들을 의미했지요. 이것을 '제2차 결집'이라고 해요.

다시 오랜 세월이 흘렀어요. 상좌부와 대중부는 다시 20여 개의 부파로 나뉘었어요. 불교계의 분열이 더욱 심해진 거예요. 이를 '소승 20부' 혹은 '부파 불교'라고 해요. 인도 최초의 통일 왕국을 세워 불교를 보호한 왕으로 알려진 아소카 왕(재위 B.C.268~B.C. 232)이 각 부파의 가르침을 정리하고 화합을 도모하기 위해 1,000명의 승려를 모아 세 번째 모임을 소집했어요. 이를 '제3차 결집'이라고 해요.

각 부파의 승려들은 자신들의 주장이 부처님의 가르침에 맞다는 것을 증명하기 위해 부처님의 가르침에 대한 해설서, 즉 다양한 '논'을 썼어요. 덕분에 불교는 체계적으로 발달할 수 있게 되었지요. 제3차 결집을 통해 오랜 세월 암송으로 전해 오던 가르침이 문자로 기록되기 시작했어요. 이러한 과정을 통해 경, 율, 논 3장의 대장경이 편찬되었답니다.

불교의 개혁 운동, 대승 불교

부처님이 살아 있을 때부터 부처님이 열반에 든 후 100년 무렵까지의 불교를 '근본 불교(원시 불교) 시대'라고 불러요. 그 후 400년 동안 불교 교단이 20개의 교파로 나뉜 시기는 '부파 불교 시대'라고 부르지요. 이후 부파 불교의 전통은 남쪽으로 전해져 스리랑카, 태국, 미안마 등 동남아시아 국가의 불교 근간이 되었어요.

대승 불교는 부파 불교를 비판하면서 등장한 불교로, 당시의 시각으로 볼 때 불교의 개혁 운동이나 마찬가지였어요. 대승 불교의 전통은 북쪽으로 전해져 티베트, 중국, 한국, 일본 등으로 퍼졌지요.

부파 불교 시대 때 각 부파에서는 승려를 중심으로 부처님의 가르침을 학문적으로 연구했어요. 덕분에 부처님의 가르침은 체계적인 학문으로 발전할 수 있었지만 불교는 보통 사람들의 삶과 동떨어진 종교가 되고 말았어요. 부처님의 가르침을 통해 삶의 문제를 해결하고 싶었던 사람들은 당시의 불교가 누구를 위한 것인지, 또 부처님의 뜻과는 같은 것인지 의구심을 가지기 시작했어요. 이들은 부처님의 정신으로 돌아가기 위해 새로운 불교 개혁 운동을 일으키고 자신들을 '대승'으로 불렀어요. 그리고 기존의 부파 불교를 '소승'이라고 불렀지요. 대승은 고대 인도 언어인 산스크리트 어의 'Mahāyāna'를 번역한 말이에요. 'Mahā'는 크다는 뜻이고, 'yāna'는 탈 것을 의미하지요. 개혁 운동을 주도한 사람들은 자신들을 깨달음으로 가는 크고 좋은 수레라고 여기고, 부파 불교는 작고 볼품없는 수레라고 여겼어요.

이처럼 대승 불교는 어느 한 사람이 주도한 불교 개혁 운동이 아니라 의식 있는 대중들이 일으킨 불교 개혁 운동이었어요. 대승 불교에서는 보살을 불교인의 이상으로 내세웠어요. 산스크리트 어인 '보디사트바(Bodhisattva)'를 소리 나는 대로 적으면 '보리살타'가 되는데, 이를 줄여서 보살이라고 부른 것이지요. 'bodhi'는 깨달음을, 'sattva'는 중생을 뜻해요. 그러니까 보살은 '장차 깨달음을 성취해 부처님이 되기로 결정되어 있는 중생'을 뜻하지요. 보살은 '위로는 깨달음을 구하고, 아래로는 중생을 구제하는 사람'이라는 의미도 가지고 있어요. 깨달은 다음에 중생을 구제하는 것이 아니라 중생을 구제하는 것 자체가 깨달음을 구하는 일인 것이지요.

사실 보살이라는 말은 대승 불교에서 맨 처음으로 사용한 것이 아니에요. 원래는 부처님이 되기 전, 전생의 석가모니를 보살이라고 불렀답니다. 그러던 것이 대승 불교에서 원래의 의미에 깨달음

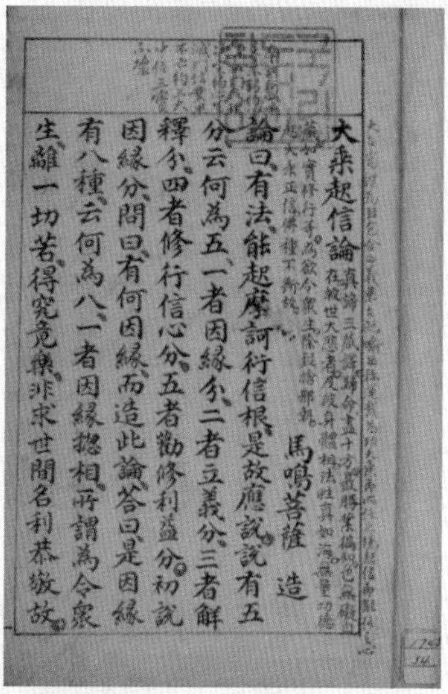

大乘起信論

馬鳴菩薩 造

論曰有法能起摩訶衍信根是故應說說有五分云何為五一者因緣分二者立義分三者解釋分四者修行信心分五者勸修利益分初說因緣分問曰有何因緣而造此論答曰是因緣有八種云何為八一者因緣總相所謂為令衆生離一切苦得究竟樂非求世間名利恭敬故

《대승기신론》

을 얻기 위해 용맹 정진하는 모든 사람이라는 의미를 덧붙여 사용하기 시작했지요.

대승 불교에서 추구하는 이상적인 존재인 보살은 흔히 소승 불교에서 이상적으로 생각하는 '아라한'과 비교되곤 해요. 아라한은 높은 경지에 이른 성인이지만, 중생을 구하는 것보다는 모든 번뇌를 끊어 가며 수행에 전념해 깨달음에 이르는 것을 더 중요하게 생각하는 존재이지요.

대승 불교에서는 남을 위하는 것 자체가 나를 위하는 것이라고 여겨요. 그래서 지장보살은 지옥에서 고통받고 있는 중생을 구제하기 전까지는 결코 성불하지 않겠다고 했고, 법장보살은 모든 중생이 극락정토에 태어나지 못하면 부처가 되지 않겠다고 했지요.

대승 불교의 이념과 사상은 부처님이 열반하고 오랜 세월이 지난 후에 여러 종류의 경전으로 편찬되었어요. 그래서 부파 불교에서는 대승 불교의 경전을 인정하지 않아요. 부처님이 직접 말씀하신 것이 아니라고 생각하기 때문이에요. 그러면서 자신들이야말로 부처님의 근본 가르침에 충실한 '근본 불교'라고 주장하지요.

이에 대해 대승 불교에서는 대승의 경전들이 후세에 나온 것은 맞지만, 부처님이 살아 있던 당시에 있었던 것이 후세에 알려진 것이라고 주장해요. 또한 부처님의 가르침을 접하는 데 있어 문자에 집착하는 것은, 달은 보지 않고 달을 가리키는 손가락만 보는 것과 같다고 주장했지요.

부처님의 초기 경전들이 1, 2, 3차 결집을 거치며 편찬된 것과 달리, 대승 불교의 경전은 오랜 시간을 두고 여러 사람에 의해 만들어졌어요. 《대승기신론》을 썼다고 전해지는 마명이나 대승의 교리를 체계화한 용수, 세찬 등의 유명한 승려들이 바로 그러한 예지요. 그러나 오늘날에는 일부만이 전해지고 있답니다.

부처의 종류와 특징

불교에서는 어느 때나 어디에서나 누구나 깨달음을 얻으면 깨달은 자, 즉 부처가 될 수 있다고 말해요. 이에 따르면 과거와 현재는 물론, 미래에도 수많은 부처가 존재할 거예요. 실제로 절에서 불상으로 만들어 모시고 있는 부처만 해도 매우 다양하지요.

1. 석가모니불

석굴암본존불

산스크리트 어인 '샤카무니(Sakyamuni)'를 소리 나는 대로 적은 것으로 '석가 족에서 나온 성자'라는 뜻이에요. 원래 이름은 고타마 싯다르타(Gotama Sidhārtha)로 기원전 624~544년 경에 살았지요.

석가모니는 인도의 작은 나라인 카필라(Kapila)의 왕자로 태어나 결혼도 하고 아들도 낳았지만 생로병사의 고통에서 영원히 벗어나는 길을 찾기 위해 29세에 출가했어요. 6년 동안 수행한 결과 35세에 큰 깨달음을 얻었지요. 석가모니는 자신과 함께 수행했던 다섯 비구에게 첫 가르침을 말하고, 45년 동안 인도 각지를 돌아다니며 설법하고 교단을 일으켰어요. 그리고 80세가 되던 해에 열반에 들었지요.

석가모니불은 주로 절의 중심 건물인 대웅전에서 볼 수 있어요. 대부분 왼손은 그대로 두고, 오른손은 풀어서 오른쪽 무릎에 얹고 손가락으로 땅을 가리키는 '항마인'을 하고 있어요. 이것은 수행을 방해하는 모든 마왕들을 항복시키고 깨달음을 얻은 것을 땅의 신인 지신이 증명했다는 것을 상징해요.

2. 아미타불

불국사금동아미타여래좌상

아미타불은 서방의 극락세계에 있으면서 모든 중생에게 자비를 베푸는 부처예요. 누구나 아미타불을 정성으로 부르면 서방 극락의 아름다운 정토에서 태어날 수 있다고 해요. 아미타불은 무한한 광명과 무한한 수명을 보장해 주는 부처로 절에서는 무량수전이나 극락전, 아미타전 등에 모신답니다.

3. 비로자나불

비로자나는 산스크리트 어인 '바이로차나(Vairocana)'를 소리 나는 대로 옮겨 적은 것으로, 태양의 빛처럼 불교의 진리가 우주 가득 비춘다는 뜻이에요. 불교의 진리, 곧 법(法)을 상징하는 부처인 비로자나불은 우주 그 자체이기 때문에 직접 중생에게 설법하지 않고 보여 주기만 하는 '침묵의 부처'랍니다.

철조 비로자나불

4. 약사여래불

약사여래불은 동쪽 정토에 사는 부처로, 중생의 질병과 무지의 병을 고치고, 여러 가지 재난을 구제하며 가난과 굶주림의 고통에서 벗어나게 해 주는 부처예요. 약사여래는 보살이었을 때 다음과 같이 소원했다고 해요.

"내가 다음 세상에서 깨달음을 얻었을 때, 몸이 성하지 않거나 온갖 병으로 고통을 겪는 중생들이 내 이름을 들으면 온몸이 성하게 되고 온갖 질병이 소멸되기를 원한다. 또 온갖 병을 앓는데도 돌보아 줄 사람이 없고, 가난해 굶주리는 고통을 겪는 중생들이 내 이름을 들으면 온갖 병이 다 낫고 몸과 마음이 안락하며 집안이 두루 풍족해지기를 원한다."

약사전에 모셔져 있는 약사여래불은 왼손에 약함이나 약병을 들고 있기 때문에 절에서 쉽게 찾을 수 있어요.

백률사금동약사여래입상

5. 미륵불

석가모니의 뒤를 이어 부처가 되기로 정해져 있는 미래의 부처로, 현재는 도솔천이라는 하늘나라에서 보살로 있으면서 56억 7천만 년 뒤에 세상에 와 중생을 구해 준다고 해요. 그래서 현재에는 '미륵보살'이지만 미래에는 '미륵불'이랍니다. 우리나라의 국보 제83호인 '금동미륵보살반가사유상'은 미륵보살이 도솔천에서 미래를 생각하며 명상에 잠겨 있는 미륵보살상이랍니다.

금동미륵보살반가사유상

오늘날의 다양한 불교 수행법

불교는 절대자를 믿는 종교가 아니라 수행을 통해 스스로 깨달음을 얻는 종교예요. 사람들은 저마다 타고난 성품과 능력이 다르기 때문에 깨달음의 길로 나아가는 방법 또한 다양해요. 지금도 불교 신자들은 여러 가지 방법으로 수행하고 있지요.

1. 절

몸을 굽혀 상대에 대해 존경하는 마음을 표현하는 수행법이에요. 설날에 하는 세배도 절이지만, 불교에서 하는 절은 두 무릎과 두 팔꿈치 그리고 이마까지 다섯 부분을 땅에 붙이고 양손으로 상대방의 발을 받든다고 해서 '오체투지'라고도 해요. 절은 육체를 움직이면서 마음을 닦는 수행법으로, 몸도 튼튼하게 하고 마음도 다스린다고 해서 요즘에는 불교 신자가 아닌 사람들도 많이 한다고 해요.

오체투지

2. 주력

진실한 말인 '진언'을 외우는 수행법이에요. 말은 단순히 의사를 전달할 뿐만 아니라 자신의 마음을 표현하고, 상대방의 마음을 열어 세상을 움직이는 오묘한 힘을 가지고 있어요. 따라서 깨달음에 이를 수 있다는 믿음으로 진리를 담고 있는 말을 정성을 다해 외우는 것도 수행이 될 수 있지요.

3. 간경

불경을 읽는 수행법이에요. 경전의 말씀을 소리 내어 읽는 독경 외에도 소리 없이 마음속으로 읽거나 경전의 내용을 다른 사람에게 말하는 것, 경전의 말씀과 의미를 마음속으로 되새기면서 쓰는 것 등이 포함되지요. 간경은 경전에서 부처님의 참된 말씀을 찾아내 지혜를 얻고 그 지혜로 어리석음을 타파해 깨달음에 이르는 것이 목적이랍니다.

4. 염불

'나무관세음보살', '나무아미타불', '나무석가모니불' 등을 부르며 자신의 마음을 부처님의 마음으로 가득 채우는 수행법이에요.

5. 선(禪)

흔히 '참선'으로 불리는 선은 어떤 사태를 분석적으로 생각하는 것이 아니라 마음을 모아 집중해 가며 닦는 수행법이에요. 수행이 깊어지면 마음이 한 가지 대상에 집중되면서 안과 밖이 같아지는 상태이자 나와 대상이 온전히 하나가 되는 삼매에 이르러요. 그러면 마음의 깨끗한 모습을 보게 되면서 마음의 본래 자리에 들어갈 수 있지요. 선에는 여러 종류가 있어요. 태국, 스리랑카, 미얀마 등의 남방 불교권에서는 위빠사나가, 한국을 비롯한 중국, 일본 등의 북방 불교권에서는 조사선, 간화선, 묵조선 등이 주로 행해지는데, 우리나라에서는 간화선이 가장 대표적인 수행법이랍니다.

1) 위빠사나

근래 들어 우리나라에서도 수행하는 사람이 많이 늘고 있는 위빠사나는 동남아시아뿐만 아니라 유럽, 미국 등지에도 널리 퍼져 있는 수행법이에요. 남방 불교의 수행법을 잘 보여 주고 있을 뿐 아니라 어떤 의미에서는 초기 불교의 모습을 간직하고 있지요. 대상을 있는 그대로 잘 관찰하는 수행법인 위빠사나에는 우리의 육체가 얼마나 더럽고 부질없는 모습인가를 살핌으로써 탐욕을 멈추는 '부정관', 성내고 다투는 마음을 그쳐 자비로운 마음을 내는 '자비관', 인연에 따라 생기고 사라지는 이치를 관찰해 어리석음에서 벗어나는 '인연관', 부처님의 자비로운 모습을 관찰하고 닮아 가는 '불상관', 들어가고 나가는 숨을 관찰해 자신의 마음을 안정시키는 '수식관' 등이 있어요.

2) 간화선

간화선은 누구든지 이대로만 하면 깨달음에 이를 수 있다는 1,700가지의 문제인 화두를 보는 수행법이에요. 보통 화두를 드는 수행법이라고 해요.

간화선을 할 때는 그것을 객관적인 대상으로 분석해 헤아리는 것이 아니라 그 화두 속으로 사무치게 들어가야 해요. 앉아서 좌선할 때뿐만 아니라, 걸을 때나 활동할 때, 자다가 꿈을 꿀 때조차 화두를 놓지 말아야 해요. 그것이 무엇일까 알고자 하는 간절한 의심이 마음 깊숙한 곳에서 솟아나고, 화두에 몰입해 화두와 내가 하나되어 움직이면 마침내 마음의 본래 자리를 보게 되고, 깨달음을 얻게 되는 것이지요.

58

원효 대승기신론소

서기남 글 | 박수로 그림

01 《대승기신론소》를 쓴 사람은 누구일까요?

① 마명 ② 원효 ③ 공자 ④ 노자 ⑤ 이이

02 아래 이야기에서 원효가 깨달은 바를 불교에서는 무엇이라고 할까요?

원효가 의상과 함께 당 나라로 불교를 배우러 떠난 어느 날, 날이 저물어 두 사람은 인적이 없는 산 속에서 하루를 보내기로 합니다. 두 스님은 바람과 한기를 피해 산 중의 한 토굴로 몸을 피했습니다. 그렇게 잠을 자던 원효가 갑자기 심한 갈증을 느끼고는 눈을 떴습니다. 캄캄한 광경에 원효는 손을 더듬어 바가지 같은 무언가를 잡아 단숨에 들이켰습니다. 물은 아주 달콤하고 시원했습니다. 그러고 나서 원효는 편한 기분으로 다시 잠에 들었습니다.

이튿날 아침, 잠에서 깬 원효는 깜짝 놀라고 말았습니다. 원효가 물을 마셨던 바가지가 해골이었던 것입니다. 원효는 자신이 마신 달콤한 물이 사실은 해골에 담긴 썩은 물이었다는 걸 깨닫고는 속이 메스꺼워져 구역질을 하고 말았습니다. 그 순간 원효는 문득 깨달았습니다.

'어젯밤에는 그렇게 맛있던 물이 지금은 구역질을 일으키다니! 마음이 일어나니 갖가지 일이 일어나고, 마음이 사라지니 갖가지 일이 사라지는구나. 모든 것은 마음이 지어내는 것이야!'

---

03 《대승기신론》에는 마음에 두 종류의 문이 있다고 쓰여 있습니다. 그중 하나는 '심진여문(心眞如門)'으로 마음의 진짜 모습으로 들어가는 문입니다. 그렇다면 생겨났다 사라졌다 하는 마음으로 들어가는 문이라는 뜻의 다른 하나는 무엇일까요?

① 심생멸문 ② 심심멸문 ③ 생멸문
④ 심멸문 ⑤ 심생진문

04 깨달음의 상태 중 망념에 갇혀 깨닫지 못한 상태를 무엇이라고 하나요?

① 본각 ② 시각 ③ 감각 ④ 정각 ⑤ 불각

05 마음은 볼 수 없기 때문에 어떤 모습인지 정확하게 말하기 어렵습니다. 그래서 《대승기신론》에서는 마음을 8개의 식(識)으로 분류합니다. 그에 대한 설명 중 틀린 것은 무엇일까요?

① 눈을 통해 빛깔과 모양을 알아차리는 것은 안식이다.
② 혀를 통해 맛을 알아차리는 것은 설식이다.
③ 손, 발, 피부 등 몸을 통해 알아차리는 것은 아라야식이다.
④ 의식 아래에 있는 무의식으로, 모든 생각과 판단을 자기 입장에서 바라보는 자기중심적 작용은 말나식이다.
⑤ 안식, 이식, 비식, 설식, 신식은 감각에 의해 순간순간 변한다.

06 불교 사상의 핵심 중 하나로, 이 세상의 모든 것이 어떤 원인이나 인연에 의해 생겨난다는 뜻의 말입니다. 이 불교의 사상은 무엇일까요?

① 연기법 ② 인과법 ③ 자연법 ④ 원연법 ⑤ 생연법

07 불교에서는 우주를 이루어지고 머무르며 흩어져 사라지는 존재로 보았고, 인간을 포함한 생명체는 태어나 늙고 병들어 죽는 존재라 보았습니다. 또한 생각은 일어났다가 머무르고 변화하며 사라지는 것이라 보았지요. 이처럼 물질이든 생명이든 혹은 정신이든 모든 것은 다 변하는 것이 자연의 섭리라 생각했습니다. 그런데 이렇게 없어지는 것을 계속 붙잡아 이전 생각을 나중까지 이어지게 하여 인간은 지나간 일을 문득 떠올리며 괴로워하고 미래의 일을 걱정하게 됩니다. 이처럼 사라져야 할 것을 끊지 못하고 붙잡는 것을 무엇이라고 할까요?

---

08 '훈습(薰習)'에 대한 설명으로 틀린 것은 무엇일까요?

① 옷에 냄새가 배는 것처럼 알게 모르게 물들어 가는 것을 훈습이라고 한다.

② 우리 마음에서 일어나는 훈습은 두 가지가 있다.

③ 마음을 깨끗하게 하는 것은 깨끗할 정(淨) 자를 써서 '정법훈습(淨法薰習)'이라고 한다.

④ 마음을 오염되게 하는 것은 물들임 염(染) 자를 써서 '염법훈습(染法薰習)'이라고 한다.

⑤ 훈습은 의식적으로 어딘가에 영향을 받으려고 해서 받게 되는 흔적 같은 것이다.

09 '염불(念佛)'이란 부처님을 생각하며 부처님의 이름을 부르는 것입니다. 부처님이 깨달음을 확신하지 못하는 자들을 위해 그 믿음을 굳게 하도록 만든 방법이지요. 특히 염불 중에서 '이것'은 아미타 부처님께 돌아가 의지하겠다는 뜻으로, 아미타 부처님께서 만든 깨달음의 극락정토에 가겠다는 다짐이자 동시에 마음의 본래 자리로 돌아가겠다는 소원이기도 합니다. 이것은 무엇일까요?

____

____

06 ① : 연기법(緣起法)은 인연생기법(因緣生起法)의 줄임말로, 직접적인 원인과 간접적인 원인이 합쳐져 어떤 결과가 생겨났다는 의미입니다. / 07 상속식 / 08 ⑤ / 09 나무아미타불

10 답변 예시) 우연히 텔레비전에서 아이돌 그룹을 보았다. 보자마자 그 그룹에 푹 빠져서 밥을 먹을 때나, 공부를 할 때나 항상 그 아이돌 그룹 생각에 빠졌다. 심지어는 학원 가는 것도 빼먹고 아이돌 그룹의 스케줄을 하루 종일 따라 다니기까지 했다. 그러다 보니 그 그룹 멤버들이 방송에서 하는 말이나 행동이 꼭 나에게만 보내 주는 애정표현인 것 같았다. 그리고 우리가 마치 아는 사이인 것처럼 나만의 별명을 불렀다. 마침내 나는 그 아이돌 그룹이 사는 숙소에 몰래 들어가 정성껏 준비한 선물을 주며 좋아한다고 말했다. 그러자 멤버들은 나를 이상한 사람으로 취급하며 내쫓았다.

10 불교에서는 마음의 움직임을 아홉 가지로 나누어 설명합니다. 아래 마음의 아홉 가지 움직임을 설명한 글을 보고, 여러분의 일상 속에서 마음이 아홉 가지 움직임을 따라 변화되었던 경험이 있는지를 생각해 보세요.

〈마음이 움직이는 아홉 가지 모습〉

첫째, 깨달은 마음은 움직임이 없다(무명업상).

둘째, 마음이 움직이며 세상을 인식하는 주체 '나'라는 생각이 나타난다(능견상).

셋째, 인식하는 대상 '너'가 생긴다(경계상).

넷째, 인식 대상을 좋아하거나 싫어하는 마음이 일어난다(지상).

다섯째, 좋아하고 싫어하는 마음이 끊임없이 이어진다(상속상).

여섯째, 좋아하고 싫어하는 것에 집착한다(집취상).

일곱째, 좋아하고 싫어하는 것에 말과 생각으로 이름과 의미를 부여한다(계명자상).

여덟째, 어떤 말이나 행동을 한다(기업상).

아홉째, 말이나 행동의 결과로 고통을 받는다(업계고상).

내 진짜 마음은
무엇일까?

정답

01 ② / 02 일체유심조(一切唯心造) : 원효가 똑같은 물인데도 밤에 마셨을 때와 아침에 보았을 때 다르게 느낀 것은, 지난밤 물을 마실 땐 해골에 담긴 물이라는 걸 몰랐다가 이튿날에야 자신이 마신 것이 해골에 담긴 썩은 물이라는 것을 알게 되자 마음이 움직여 더럽다는 생각이 일어났기 때문입니다. 즉 예전에 보았던 더러운 것을 기억하고 그것이 이어져 토하게 된 것이죠. 원효가 토했던 것은 마음의 움직임 때문인 것입니다. / 03 ① / 04 ⑤ 05 ③ : 아라야식은 마음의 여덟 가지 식(識) 중 제8식으로 마음속 깊은 곳에 있으면서 모든 것을 저장해 모든 것의 씨앗으로 작용하는 마음입니다.

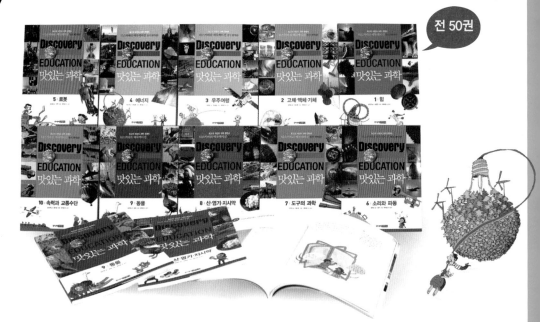